Collection « Raccords »
dirigée par Guy Astic

Bruno Dumont
L'animalité et la grâce

Maryline Alligier

BRUNO DUMONT
L'ANIMALITÉ ET LA GRÂCE

Rouge Profond

REMERCIEMENTS

Thierry Millet, directeur de recherches à l'Université d'Aix-Marseille,
pour son écoute attentive et ses conseils avisés.
Vincent Alligier, pour son soutien et la justesse de son regard sur mon travail.

881, route de la Bonde, 84120 Pertuis
www.rougeprofond.com

ISBN 978-2-915083-48-4

« La lumière profonde a besoin pour paraître
d'une terre rouée et craquante de nuit. »

Yves Bonnefoy,
« Du mouvement et de l'immobilité de Douve »

INTRODUCTION

Bruno Dumont affirme que dans ses films, de *La Vie de Jésus* à *Hors Satan*, l'homme va «aux commencements, au début des gens[1]». Professeur de philosophie, le cinéma pour lui est une autre matière, refusant tout concept et tout intellectualisme. De prime abord, l'homme apparaît effectivement comme un cinéaste matérialiste. Ses films s'inscrivent dans le réel. La réalité étant morne et ordinaire, il filme le quotidien de personnages dans des paysages nus et aplatis, ceux des Flandres, et le plus souvent dans sa petite ville natale, Bailleul. Ce quotidien est celui de jeunes au chômage ou d'ouvriers, et même celui d'un vagabond dans *Hors Satan*. Les personnages sont généralement désœuvrés, rêvant de leur départ du village où ils habitent pour rejoindre la ville, de la campagne où ils travaillent pour aller à la guerre, de la maison qu'ils souhaitent quitter pour le couvent.

Cette réalité questionne alors, comme peuvent le faire les films des frères Dardenne ou de Maurice Pialat, le problème du chômage, celui de la désertification des campagnes. Elle interroge aussi le racisme primaire, la place de l'étranger ou du SDF dans la société, l'intégrisme religieux, le repli des sociétés rurales et l'intolérance de certaines structures communautaires familiales, villageoises ou religieuses. Les acteurs sont toujours, à l'exception de Katia Golubeva et David Wissak dans *Twentynine Palms*, des acteurs non professionnels qu'on pourrait supposer choisis pour leur naturel afin de renoncer à toute idée de composition. La question de pareil cinéma se situerait alors du côté du réalisme social ou documentaire. La réalité comme

---

1. Bruno Dumont, «Travail du cinéaste», in Philippe Tancelin, Sébastien Ors, Valérie Jouve (éds.) *Bruno Dumont*, Paris, Dis Voir, 2001, p 11, et *idem* pour les citations qui suivent.

projet du cinéma de Bruno Dumont paraît pourtant plus équivoque et ambivalente. Le réalisateur revendique certes des personnages «aux commencements», inachevés, mais en précisant immédiatement qu'«ils n'ont pas besoin d'être finis». Il ancrerait alors son désir de cinéma davantage du côté du corps : le cinéma est «capable d'être et de se borner à la représentation de la matière même de nos existences, c'est-à-dire à nos corps». Le cinéma serait pour lui un dépassement du savoir : en fait de connaissance, il confronterait au sensible.

Apparaissent dans cette perspective d'autres symptômes, une autre hypothèse : l'homme «aux commencements» arrive au monde dans l'animalité. Cette animalité dit une antériorité, un être avant. Elle révèle un homme originaire, un homme premier. Pour le cinéaste, le désir de réalité serait donc d'abord un désir de régression : celui de regarder l'homme dans sa nature primitive et brutale. Le regarder ainsi, c'est «filmer des corps vivants, animés, qui s'attirent et se révulsent», «être à leurs visages» filmer le sensible, les sensations. Si ce sont les sens qui perçoivent, le corps des personnages est un corps phénoménologique, ce qu'il est et non ce qu'il représente.

Là s'inscrit une rupture du cinéma de Bruno Dumont avec tout psychologisme propre au cinéma romanesque. L'histoire de ses films est plutôt banale, ce n'est pas l'intrigue qui compte. Et si la réalité n'est pas son projet, c'est parce qu'il s'intéresse à la vérité humaine : il se situe «au niveau d'un cinéma qui cherche et qui n'a aucune certitude[2]», c'est aussi pour cela que son cinéma est sensible. Il y a peut-être, dans son désir de régression, celui d'exorciser la disparition ou la négation de ce qui nous fait. L'homme ne peut entrer dans sa culture que s'il re-connaît sa nature.

On peut à nouveau le suspecter d'ambiguïté : pourquoi dans *La Vie de Jésus*, ce «salaud» de Freddy finit-il par être touché par la grâce ? Le spectateur peut être dérouté par l'absence de dénonciation du personnage. Bruno Dumont ne questionne pas les raisons sociologiques ou psychologiques de l'acte criminel de ses personnages mais ce qu'ils sont. Le désir de régression l'emporte mais sans pessimisme et sans

---

2. Propos recueillis par Christophe Régin et Samir Ardjoum, lors d'une chronique du 27 octobre 1999 sur le site www.fluctuat.net.

morale. Si accusation, révolte, indignation il y a, elles doivent venir des spectateurs qui en même temps prennent conscience qu'ils ont en eux cette part commune d'animalité constitutive des personnages. Cet éveil est une préoccupation sans doute essentielle du cinéaste : le cinéma – l'art – *entame* le spectateur pour le révéler à lui-même.

L'animalité telle que la questionne Bruno Dumont est l'expression et la manifestation d'un être contradictoire, multiple, dont le corps est «grande raison[3]», animé souterrainement par ses pulsions. L'animalité sera donc envisagée sous trois angles : le primitif, le sauvage, le barbare. L'animalité est, dans cette triple acception, du côté d'un humain lacunaire et donc bien «aux commencements». Le primitif est un homme en devenir, inachevé ; le sauvage et le barbare, c'est celui à qui il manque la culture, la mesure mais qui exprime aussi son manque en termes de symptôme, d'une souffrance.

Cependant, cet homme «aux commencements» arrive aussi au monde dans la grâce. Le désir de régression du cinéaste porte une dimension spiritualiste. À force de filmer le sensible et le visible, l'invisible apparaît et ouvre l'accès à la spiritualité. Cette part d'invisible traverse tous les films. Elle se ressent avant tout par le corps; «c'est par le corps que le cinéma noue ses noces avec l'esprit, avec la pensée[4]». Le choix des acteurs non professionnels introduit somme toute une rupture brutale avec une réalité familière, à la fois par leur corps, leur jeu, leur maladresse : le cinéaste ne traque pas le naturel mais la nature, faisant ainsi rendre aux acteurs leur vérité. Le corps retrouve sa substance originelle, il est toujours premier par rapport à la dramaturgie. On a d'ailleurs reproché, comme au Festival de Cannes en 1999, la remise des prix d'interprétation à deux acteurs non professionnels de *L'humanité*[5], sans essayer de comprendre en quoi ceux-ci remettaient en cause la représentation du corps au cinéma.

3. Friedrich Nietzsche, *Ainsi parlait Zarathoustra* [1885], traduit de l'allemand par Maurice de Gandillac, Paris, Nrf-Gallimard, coll. «Œuvres philosophiques complètes», 1971, p. 45.
4. Gilles Deleuze, *Cinéma 2. L'Image-temps*, Paris, Les Éditions de Minuit, coll. «Critique», 1985, p. 246.
5. Bruno Dumont tient à ce que le titre de son film ne prenne pas la majuscule pourtant d'usage.

Le refus de Bruno Dumont de tout naturalisme social, son refus de jugement moral et de tout psychologisme sont une volonté de capter la réalité sans lui faire signifier telle ou telle chose, mais pour lui faire dire autre chose : faire apparaître l'invisible. C'est aussi en cela que son cinéma ne peut pas être seulement social ou documentaire. Là encore il reste équivoque et incompris. On rattache souvent Bruno Dumont à la figure d'un cinéaste chrétien en référence aux thèmes omniprésents de la rédemption et du rachat, aux titres de ses films *La Vie de Jésus* et *Hors Satan*, ou à la lévitation de Pharaon dans *L'humanité*. Si la question est légitime, Bruno Dumont est d'abord matérialiste. Le sacré, dans ses films, réside dans le profane et c'est d'une réalité sensuelle que surgit le spirituel. Qualifié d'esthétisant dans l'approche des sujets de ses films, le cinéaste, s'il parle de la grâce, se mesure pourtant au laid ou à l'obscène. En fait, il ne fait pas de son cinéma un discours, «tous les discours les plus pointus et le plus rationnels sur le cinéma [étant] ceux qui [le] navrent le plus parce que [il n'est] pas un cinéaste du collectif mais un cinéaste de l'individu[6]».

La connotation religieuse de la grâce ne va alors pas de soi. Ne s'exprime-t-elle pas par le corps ? Elle est la spiritualité du premier homme mais une spiritualité sensuelle. Le premier homme est un homme dont la naïveté et la simplicité sont la grâce au sens d'une présence immédiate au monde. Le premier homme entre sans *a priori*, sans culture mais par les sens dans le monde, et son corps n'est pas seulement animé de pulsions animales, il est aussi son possible d'émerveillement. Cet émerveillement le conduit alors à l'émotion pure, par nature incommunicable, indicible, où l'être accède à un sentiment de plénitude. L'homme «aux commencements» est ouvert spirituellement à l'in-fini.

La grâce se définit donc selon trois axes. Penser la grâce, c'est penser le corps : elle est physique au sens de rayonnement d'une présence, à travers une présence immédiate au monde. Elle est aussi une aspiration à un état de plénitude. S'il y a l'idée d'une poussée, la grâce est

---

6. Philippe Tancelin, «Bruno Dumont. Enquêtes sur le réel (entretien) », in Philippe Tancelin, Sébastien Ors, Valérie Jouve (éds.), *Bruno Dumont, op. cit.*, p. 41.

par conséquent une pulsion. Elle est enfin un état de plénitude : une pure sensation d'être, un éternel présent d'intensité, une élévation.

L'homme «aux commencements» est à la fois l'homme premier, originaire, et le premier homme. Par le corps, ils interfèrent l'un et l'autre, même s'ils diffèrent. En découle un entrelacement entre l'animalité et la grâce, une porosité, un pôle d'attractivité et d'échos. Cet entrelacement est en même temps ce qui installe l'homme dans une zone de turbulence : il est tendu entre l'animalité et la grâce, entre l'inquiétude et la délivrance. L'homme «aux commencements» est inachevé et il fait l'expérience de cette discontinuité comme celle d'un ébranlement. Le cinéma de Bruno Dumont cherche ainsi à unir dans un même champ de visibilité le plus originaire – le primitif – et le plus séparé – le mystique –, « cet homme [qui] devra peser su la matière s'il veut se détacher d'elle[7] ». C'est aussi là que se joue le passage de la philosophie au cinéma : «La mystique appelle la mécanique», et le cinéma pour Bruno Dumont a cette capacité de faire naître par ses moyens techniques et par la mise en scène la vérité de l'être.

Mon hypothèse est donc que pareil cinéma confronte le spectateur à une réalité, mais une réalité sensible pour dévoiler ce qui fait les personnages et, au-delà, ce qui fait l'homme : l'animalité et la grâce. L'angle privilégié ne permet évidemment pas une approche exhaustive de l'œuvre de Bruno Dumont. Il se focalise sur la parole de l'homme «aux commencements», parole qui est son corps. Cette parole exprime son animalité et sa grâce. Il faut alors établir en quoi l'enracinement de cet homme est avant tout perceptif et signifie un monde avant tout sensible : un monde originaire qui précipite vers le vide et attache à la terre, un monde originel qui donne le vertige et appelle les personnages à regarder au ciel.

De ce monde sensible sourdent l'état brut de l'animalité et l'état de plénitude de la grâce. Si l'homme se tient au monde par les sens, il retourne au plus près de sa nature. Au plus près de sa nature, il est au fond des instincts. Ces instincts s'expriment à travers ses pulsions,

---

7. Henri Bergson, *Les Deux Sources de la morale et de la religion* [1932], Paris, PUF, coll. « Quadrige », 2008, p. 329, *idem* pour la citation qui suit.

des pulsions dionysiaques : la démesure, la lutte perpétuelle, la dissonance et l'anéantissement. Elles plongent l'homme, au plus près de sa nature, dans une expérience immédiate de présence au monde : livré aux sens, il aspire à un état de plénitude. Parce qu'il lui est donné de sentir, il lui faut re-sentir plutôt que penser. Recueillant de son corps, non seulement des instincts mais aussi des états d'âme, il est poussé par des pulsions de grâce : la contemplation, l'émotion pure, l'absorption et le retour dans son esprit d'enfance. L'homme « aux commencements » est un mystique sauvage.

L'animalité et la grâce poussent l'homme à sortir de lui-même. Il fait l'expérience du vide : son animalité le conduit à un en deçà où les rapports à l'autre et au monde sont des rapports de violence. Il est confronté au mal, à son *animâlité* et à l'effroi. Il fait aussi l'expérience du mystère : par sa grâce, il accède à l'invisible et au sacré, il s'élève. L'homme se réalise en vivant de ses pulsions originaires et en s'en déchargeant. Par cette décharge, il est conduit au déchirement, à la douleur qui est un dévoilement de ce qu'il est. Mais il se réalise aussi en vivant de ses pulsions de grâce, qui sont un allégement. Par son extase, l'homme est conduit à la plénitude, autrement dit retrouve une unité avec lui-même.

Ces expériences seront analysées pour voir en quoi, en tant qu'*extases*, c'est-à-dire sorties des personnages d'eux-mêmes, elles sont pour eux un éveil. C'est en effet dans l'intermittence entre l'animalité et la grâce que s'ouvre et se révèle leur existence.

I. UN HOMME «AUX COMMENCEMENTS» : SA PAROLE EST SON CORPS

Dans le cinéma de Bruno Dumont, l'homme est «aux commencements». Au commencement est son corps, ce qui le meut et ce qui le
tient au monde. Aussi sa parole est-elle son corps, son verbe se fait-
elle chair. Elle exprime son animalité : il est l'homme premier, primitif, inachevé. Elle est aussi sa grâce : il est le premier homme, dont
la «nudité» dit la plénitude de sa présence au monde. L'enracinement
de cet homme est perceptif et signifie un monde qui est celui de l'origine, un monde sensible.

1. Maladresse, atonalité et silence de la parole

Bruno Dumont dit que « régresser et se taire est le début du cinéma[1] ». La parole maladroite, la communication atonale et la voix silencieuse sont alors le début de l'homme : un homme lacunaire d'abord dans l'usage de sa langue. L'absence, la fragilité ou la maladresse de ses mots manifestent sa cruauté, sa défaillance. La parole est symptôme et exprime son manque. La lacune de la langue dit son animalité. En même temps, lorsque les mots s'absentent, ils ne s'interposent plus entre le réel et l'homme, et la grâce peut entrer. Le silence est un espace donné à l'écoute, il est accueil : une parole en profondeur qui ménage un état de plénitude.

Une parole maladroite

L'homme premier est taiseux, sa parole est réduite à des expressions fragmentées ou figées. Il a du mal à se servir de la parole dans son usage premier, celui de signifier. Dire ce qu'il pense ou ressent, ce qui éveille en lui une émotion ou un sentiment, semble inatteignable. Toute parole semble alors mal adressée parce qu'elle est infirme ou hésitante. L'homme est dans une parole limite, crue au sens d'un manque, d'une intention ratée parce qu'elle exprime son animalité. Dans *La Vie de Jésus*, Marie et Kader se retrouvent à l'intérieur d'une ruine d'église à ciel ouvert pour s'embrasser. La communication silencieuse des amants est brisée par un « pt'ain pas ici, ça pue la pisse !!! » de Kader, avant qu'ils ne soient l'un en face de l'autre et que Marie le serre contre son corps. La parole désigne ici une prégnance olfactive animale, l'odeur de l'urine, qui dans sa tentative de signification

1. Philippe Tancelin, «Bruno Dumont. Enquêtes sur le réel (entretien) », *op. cit.*, p. 75.

brute, obstrue toute perspective de révélation ou de construction d'un sentiment amoureux. La parole est frustre et rude. Dans le même film, à l'inquiétude de Marie sur la crise d'épilepsie de Freddy, celui-ci répond très brutalement, à l'extrémité d'une parole qui n'impose qu'un silence : « Fais pas chier avec ça, tu crois que ça m'amuse de pisser dans mon froc. » La parole pauvre dit une défaillance.

Dans *Flandres*, le père de Barbe voit sa fille pleurer et il lui demande « ce qu'elle fait ». Au-delà de l'expression figée, c'est l'impossibilité d'un père à mettre des mots sur la souffrance de sa fille, à en trouver pour la consoler ou à lui faire parler de cette souffrance. Défaillante, la parole peut même être cruelle : Demester et Barbe sont dans un café avec leurs amis, et ce dernier nie son affection pour Barbe en affirmant à une question qui lui est posée, qu'ils sont « juste copain copain ». Cette réponse, parce qu'elle est lacunaire, blesse Barbe dans sa chair. Le « juste » privatif implique le « seulement », l'exclusivité d'une relation mais le mot « copain » la neutralise, renvoyant à une absence d'intimité affirmée publiquement par Demester alors qu'ils sont amants réguliers. La réponse de Demester, mal adressée à Barbe, reprend la confidence maladroite de son amie France, ne cessant de répéter que « les autres disent que [c'est] une pute ». La parole entrave, obstrue, elle est incapable de suturer les blessures de l'inachèvement. Dans *Twentynine Palms*, David et Katia ne parlent pas dans leur langue maternelle – il est américain, elle est russe –, mais même dans la langue qu'ils « s'inventent » (le français) ils ne se comprennent pas. Ils s'y perdent et les mots échangés sont réduits à des cris ou à des borborygmes.

Aucun personnage n'est dans la maîtrise, des paysans au médecin dans *Flandres*, des ouvrières au commissaire dans *L'humanité*. Même Céline dans *Hadewijch*, pourtant étudiante en théologie et jeune fille issue d'un milieu très cultivé et bourgeois, a une langue trébuchante. Ses mots achoppent. Elle a du mal à exprimer aux hommes son amour pour le Christ, ne terminant pas ses phrases, les balbutiant : lorsqu'elle se replie dans le square de la banlieue après avoir été humiliée par le regard concupiscent d'un homme, et que Nassir la rejoint, les yeux et la voix remplis de larmes, elle dit : « Le Christ me manque... son corps... et mon corps qui me fait mal... » Même lorsqu'elle s'adresse au Christ, à ce corps absent qu'elle aime par-dessus tout, ses prières sont maladroites, peu assurées.

Comme l'animal, les hommes ne sont pas «sujets du signifiant[2]». Pourtant, le signifiant, c'est aussi se fier au signe et «il existe en dehors de toute signification[3]». La parole des personnages dans les films de Bruno Dumont ne signifie pas mais manifeste leur animalité, leur défaillance, leur cruauté : leur parole est symptôme. Aussi l'homme, «une bête en proie à la parole», formule-t-il son manque avec ses maux.

Une communication atone : l'écoute de l'invisible

Les mots, par leur maladresse et leur écart, rendent la communication atone. L'atonalité peut être pensée comme une communication proche de l'aphasie. Mais l'homme «aux commencements» est aussi le premier homme : sa parole infirme force à prêter l'oreille pour entendre et être à l'écoute pour mieux entendre. Sa parole est une régression au sens d'un *regressus in utero*, imposant un effort des perceptions pour accueillir en soi les propos d'un autre. L'atonalité est un moyen d'accès aux sens primitifs : «Il ne faut jamais sortir du jadis du corps, de sa joie, du péché, de la génitalité, du silence, de la honte, de l'anecdote, de l'incompréhensible, de l'incomplet, de l'énigme[4].» Et elle ouvre à l'intériorité, ce qui permet d'expérimenter, de vivre sa spiritualité.

Pharaon, dans *L'humanité*, est dans cette communication atonale avec le commissaire, avec Joseph, avec Domino et avec sa mère. Sa voix même est atone, très lente, relâchée. À l'horreur du sexe béant de la fillette violée, il dit au commissaire : «Comment on peut faire ça?» Ou encore : «C'est atroce.» Ses mots sont vides et consonent avec sa voix impassible, une «*vox populi*» contenant tous les clichés et les fixités du langage. Mais Pharaon, parce qu'il ne peut toucher par

2. Jacques Derrida, *L'Animal que donc je suis*, Paris, Galilée, 2006, p. 87.
3. Jacques Lacan, *Écrits* [1966], Paris, Éditions du Seuil, coll. «Champ freudien», 1999, p. 498, et p. 628 pour la citation qui suit.
4. Pascal Quignard, *Les Ombres errantes. Dernier royaume, I*, Paris, Grasset, 2002, p. 23.

les mots, pénètre dans l'intériorité. À une parole dilatée, elliptique, restée à la surface du langage, il substitue une parole en profondeur, l'écoute. Pharaon écoute la terre qui porte les traces de l'abjection du viol de la fillette, il écoute le fracas des sexes joints de Joseph et Domino, il écoute les voix murmurantes, ce qui est enfoui, ce qui reste souterrain : il écoute le *sous-venir*. Ces « bruits extérieurs » s'intériorisent. Ils deviennent alors les « bruits » de sa propre intériorité comme la manifestation « au travers du réel, [d']une certaine musique de l'âme[5] ». Pharaon « ronronne ». Adossé au mur de sa maison, le visage dans la lumière, il « ronronne » en regardant sa rue. Ce murmure est une vocalisation de contact, celle de l'étreinte du corps de Domino. Domino est venue quelques minutes auparavant lui demander pardon, le visage sur sa poitrine, pour l'avoir offensé : elle lui avait reproché de l'avoir regardée s'accoupler avec Joseph depuis l'entrebâillement de la porte. Le ronronnement exprime l'animalité de Pharaon. Il est un murmure de plaisir, celui d'avoir senti Domino toucher sa peau, mais aussi celui d'avoir découvert, par l'indiscrétion du regard, l'image de sa jouissance : « C'est son corps qu'[il] avait vu faire son besoin ; son cul, sa bite, aller venir dans la panse de Domino[6]. » Il est en même temps une olfaction spirituelle, sonorité sourde, de basse amplitude qui contient une quiétude : toute honte inutile, Pharaon est apaisé, le cœur doux, par le geste de Domino.

À la fin du film, ce ronronnement est à nouveau très prégnant. Dans le commissariat, Pharaon est assis à la place de Joseph et ronronne. Le murmure s'entend même hors champ, au défilé du générique. Le ronronnement est plus qu'un bruit, il est une vibration faisant caisse de résonance dans tout son corps et dans celui du spectateur. Il ouvre à une quiétude partagée comme pour se débarrasser du mal en le désarmant de douceur. La grâce de Pharaon est contenue dans cette intériorisation, elle est la sonorité d'un homme qui souffre avec tous les autres, par tous les autres, et dont la participation d'amour et de douleur à l'humanité l'amène au ronronnement – qui est l'autre sens que donne son écoute à ses mots. Cette « voix entendue

5. Jean-Louis Bory, « Une certaine musique de l'âme (à propos de *Mouchette* de Robert Bresson) », *Le Nouvel Observateur* (Paris), 15 mars 1967.
6. Bruno Dumont, scénario de *L'humanité*. Paris, Massot, 2001, p. 12.

comme bruit donne la troisième dimension à l'écran[7]», c'est-à-dire ouvre l'espace de l'intériorité et de la grâce.

La voix silencieuse : le cri de l'animalité, l'appel de la grâce

Ce que l'homme premier ne parvient pas à dire, «cela constitue une part de [son] silence[8]». Parce que la parole est aussi silence. Un silence seul capable d'exprimer l'ineffable, qui est au sens étymologique ce qui ne se parle pas mais qui est aussi une voix ouverte à toutes les indiscrétions, à tous les effrois, qui s'étend en arrière de soi, immense, chuchotante. Le silence de Pharaon dans *L'humanité* est celui de son indignation lorsqu'il découvre le corps violé de la fillette. Le silence de Freddy dans *La Vie de Jésus* est celui de sa souffrance pour Cloclo, son ami malade du sida, mais aussi de celle qui le dépossède de lui-même, son épilepsie. Le silence de Céline dans *Hadewijch* est son enfermement ; le silence de Demester dans *Flandres* est son crime.

Aussi la voix silencieuse est-elle bruyante : elle est un cri. Lorsque l'émotion est trop forte, le langage se nie comme discursivité et se donne comme parole intensive, allant, dans le risque absolu de ce qui est hors sens, jusqu'à la limite inouïe du cri, jusqu'au silence. Barbe, dans *Flandres*, attend le retour de Blondel et de Demester de la guerre. Elle dépérit d'amour. Sa folie est la profondeur du silence dans lequel elle tombe, mais ce silence est son cri. Le mutisme de Barbe est le néant intérieur qui l'habite mais aussi le point extrême de son agitation. Lorsque son père lui dit qu'elle est «folle comme sa mère», elle ne dit rien. Elle accepte en silence de se faire interner. Mais en arrivant dans sa chambre à l'hôpital psychiatrique, elle prend son visage entre ses mains puis se jette littéralement sur l'infirmier pour l'embrasser et l'étreindre. Son silence, celui de ses gestes, celui de sa perception à être enfermée dans cette chambre, n'en finit pas de

---

7. Robert Bresson, «Une mise en scène n'est pas un art. Entretien avec les étudiants de l'Idhec [décembre 1955] », *Cahiers du cinéma* (Paris), n° 543 ("Hommage à Robert Bresson"), février 2000, p. 8.
8. Pascal Quignard, *Petits traités I*, Paris, Gallimard, 1997, p. 97.

tendre vers l'expression de son insupportable solitude et de signifier l'absence de Demester et de Blondel.

Dans *L'humanité*, Pharaon retourne sur le lieu du crime pour son enquête ; il s'approche de la voie ferrée pour observer si un passager du train aurait pu voir la scène de viol ou le meurtrier. Au moment où passe un train, il crie. La béance terrifiante de sa bouche élève sa

L'humanité

parole jusqu'à cette sonorité la plus pure et *parle* la dysharmonie du monde et de l'humanité. Son cri est l'écho de cette blessure qui loin de s'apaiser, creuse un peu plus pro- fond et troue le silence. Le cri, c'est aussi un silence qui devient musique. Après avoir découvert le corps de la fillette, Pharaon se retranche dans sa voiture et allume l'autoradio. Les accords déchirants d'une pièce de clavecin deviennent son cri, celui de la tragédie à nouveau enfantée par cette musique. Mais cette musique

est son cri en même temps que sa grâce : c'est aussi sa plénitude qui a besoin de se décharger, une musique comme « fond originaire » qui irradie « par décharges successives[9] ». Son corps comme son regard disent cette plénitude : tête légèrement renversée, appuyée sur le repose-tête, corps en repos. Le silence renforce l'attention au vécu capable de révéler ce qui se cache dans la monotonie ou dans l'effroi. Il est cette surcharge qui témoigne de l'incommensurabilité du dire et du sentir : il est ce qui conduit à la profondeur. Le silence est d'ail- leurs le paradis des mystiques. Aussi ne s'agit-il plus pour Pharaon, pourtant lieutenant de police, de voir et vérifier mais de s'attacher à écouter et croire.

Les personnages sont, par leur silence, dans l'éloignement et dans le contact sans accès aux choses ou aux autres – ou sur le « seuil » de

9. Friedrich Nietzsche, *Naissance de la tragédie* [1872], traduit de l'allemand par Michel Haar, Philippe Lacoue-Labarthe et Jean-Luc Nancy, Paris, Gallimard, coll. « Folio-Essais », 1977, p. 56.

l'accès. Or, pareille impénétrabilité fait qu'il y a pénétration par les sens et pénétration spirituelle : leur silence est une attention profonde au visible qui finit par se heurter à ses limites, à l'illimité que le visible contient, tantôt le refusant, tantôt le révélant. Il est ce qui les porte à l'infini. Si la parole est cruelle ou maladroite, si la voix est «retraite dans un désir de se taire, un taisir sans abord[10]», c'est parce que l'homme est inachevé : c'est un homme primitif, un premier homme.

10. Pascal Quignard, *Petits traités I*, *op. cit.*, p. 87.

2. La voix du corps :
LE LANGAGE FIGURÉ DE L'ANIMALITÉ ET DE LA GRÂCE

L'éveil de l'homme au langage est celui d'un langage originaire et originel : celui de la sensorialité. Ce qui est interrogé dans le cinéma de Bruno Dumont est le rapport particulier à la langue dans son articulation même avec les sens, inscrite au vif du corps. La voix prend chair, la parole s'incorpore. Et elle en dit le manque, puisque le symptôme est «un événement de corps[11]», «ce qui s'écrit sur le sable de la chair[12]».

Si le cinéma «n'a rien à faire de l'écrit[13]» c'est parce qu'il doit aussi être cette régression vers un langage originaire, avant tout sensoriel. Jean Epstein affirme cette capacité du cinéma : il montre en quoi les mots, de plus en plus abstraits de leur image-mère, se trouvent incapables d'évoquer le moindre caractère concret et sont de «purs symboles d'une algèbre linguistique» ne signifiant rien. Pour lui, les mots retrouvent leur efficacité comme signes d'intercommunication en devenant visuels. Les images ont donc ce possible de rendre aux signes sclérosés du langage «la sève originelle de la donnée sensible[14]». Si tout se tait, c'est pour mieux solliciter les sens. Éveiller la puissance de voir, c'est pousser le spectateur à regarder en regardant aussi à l'intérieur de lui : «On ne regarde pas un film, c'est lui qui nous regarde, c'est lui qui nous sent[15].» Il s'agit de «séparer le moment de la perception cinématographique de celui de l'élaboration du récit […],

---

11. Jacques Lacan, *Joyce le symptôme*, in *Autres écrits*, Paris, Éditions du Seuil, coll. «Champ freudien», 2001, p. 569.

12. Jacques Lacan, *Fonction et champ de la parole et du langage*, in *Écrits* [1966], *op. cit.*, p. 301.

13. Bruno Dumont, «Travail du cinéaste», *op. cit.*, p. 11.

14. Jean Epstein, *Écrits sur le cinéma*, tome 2, Paris, Seghers, 1974, p. 54 et p. 76.

15. Bruno Dumont, note d'intention de *L'humanité*, *op. cit.*

transmettre d'abord une sensation [...], produire un affect, avant que ceux-ci se transforment en signification, en récit[16] ».

L'enracinement est donc avant tout perceptif. Le cinéma de Bruno Dumont retourne, par l'absence de mot, au corps : en représentant le corps, il représente la matière même de l'existence. Le corps est la matière de son expression et, par lui, le cinéaste trouve une forme de matérialité et de spiritualité ouvrant à un accès plus immédiat au monde. C'est, en définitive, dans l'expressivité de son corps que s'origine avant tout la parole de l'homme « aux commencements ».

Un corps sensitif

« Je suis cet animal de perceptions et de mouvements qui s'appelle un corps[17]. » La parole de l'homme est son corps. Sa voix se donne à entendre dans sa corporalité, retentit à travers le corps devenu espace acousmatique privilégié. Son arrivée au monde, son éveil passent par les sens : le geste (le toucher), le regard (la vue), l'oreille (l'ouïe) sont langage, un langage originaire comme les présences absolues à ce déjà-là antérieur à tout ce qui peut exister.

L'homme s'ouvre à lui-même et à l'autre dans sa chair. C'est par son corps « qui prend, qui ressent d'abord et qui est premier[18] » qu'il dit ce qu'il est. Il se tient au monde par son expérience sensorielle. Aussi cet homme est-il un être sensuel, dans l'étreinte. L'étreinte est, on l'a vu, auditive. Elle est aussi celle du regard : un regard qui embrasse, du plus près au plus lointain, du paysage à la terre, de ce qui souffre à ce qui s'ouvre ou se ferme. Pharaon dans *L'humanité*, « bouche close au langage mais ouverte à la communication non verbale[19] », communique par des attouchements qui peuvent être aussi bien visuels que tactiles. Il regarde « à la fente » de Domino où

16. Propos de Robert Bresson recueillis par Jean-Louis Provoyeur, in *Le Cinéma de Robert Bresson. De l'effet de réel à l'effet de sublime*, Paris, L'Harmattan, coll. « Champs visuels », 2003, pp. 255-256.
17. Maurice Merleau-Ponty, *Éloge de la philosophie*, Paris, Gallimard, 1953, p. 123.
18. Philippe Rouyer, « L'invisible ne se filme pas. Entretien avec Bruno Dumont », *Positif* (Paris), n° 465, novembre 1999, p. 26.
19. Pascal Quignard, *Le Sexe et l'Effroi*, Paris, Gallimard, 1994, p. 231.

s'enfonce son petit ami Joseph et écoute «l'acharnement et le fracas de leurs sexes joints[20]» pour ressentir cette proximité, pour partager ce qui fragmentairement les excède, les frôle, les heurte et en dire par le regard la vision souffrante. L'étreinte est olfactive. Il sent et effleure les peaux, il embrasse sur la bouche un dealer lors de son arrestation au commissariat et étreint le psychiatre à l'hôpital.

Pharaon parle en s'inscrivant dans le champ perceptif de l'autre par ses gestes ou par son regard : en se livrant par les sens. Son corps est un sens comme le mot, il fait signe à ses congénères. L'homme parle avec son corps et, comme l'animal, il ne répond pas mais réagit. Parce que le corps de Freddy, dans *La Vie de Jésus*, est affecté, il communique avec celui de Marie, de ses copains, de sa mère et de Kader. Freddy est épileptique et ses crises sont de manière

L'humanité

récurrente déclenchées par l'ouverture de son corps à l'autre, dans l'engagement affectif qu'il représente : la première crise a lieu après sa relation sexuelle avec Marie, la seconde après la course poursuite de Kader. La réponse de Freddy est une réaction, qui le déborde et convulse sa chair. Son corps l'enchaîne à lui-même : empêtré dans la glu de ce corps comme affect, il ne peut fuir ou s'en absenter. Cette expérience qu'il découvre est l'aliénation par excellence : sa servitude originelle, ce corps maître qui l'encombre et qui double sans rémission son moi. C'est aussi par son corps que Freddy exprime sa jalousie : il met des coups de pieds compulsivement contre un mur, ce mur du réel incarné par Kader et contre lequel il bute irrémédiablement.

20. Bruno Dumont, note d'intention de *L'humanité*, *op. cit.*

Si l'homme premier réagit, c'est parce que son corps est une chambre d'écho où résonnent ses bruits et sa fureur, un déjà-là qui existe et insiste. Il est une caisse de résonance qui absorbe : sa surface, livrée aux sensations, est poreuse. Dans *Flandres*, les souffrances endurées par Demester au front, sa barbarie, sont ressenties et s'affichent dans la chair de Barbe. Le montage parallèle entre les scènes de guerre et l'attente de Barbe dans les Flandres dit cette porosité : au corps souffrant de Demester répond celui de Barbe qui dépérit.

Un corps rayonnant de présence

La voix du corps est aussi celle de la grâce parce que, justement, elle est cette surface où l'être est rendu à cet enchantement même de la sensation. Et par cet enchantement, le corps est grâce au sens

Hadewijch

de rayonnement d'une présence. Le corps des personnages occupe l'écran au sens charnel du terme afin d'en faire ressortir les intensités invisibles. La blancheur diaphane du corps d'Hadewijch ou de Barbe, la texture laiteuse de leur peau renvoient à une certaine virginité mais contiennent aussi une puissance érotique : le corps est dé-voilé. Il s'offre à la pluie, à la lumière. Dans *Flandres*, la lumière sur Barbe est un flux de lumière physique qui la baigne. L'eau qui inonde Céline dans *Hadewijch* devient le ressenti originel du contact avec sa chair : les larmes ou la pluie agissent comme une métamorphose qui désigne la dynamique fluide du sens affectif qu'aucun signifiant ne pourrait capter.

Le corps féminin est charnu parce qu'il est aussi plénitude, plénitude de la chair. Le corps est d'une immédiate présence. Aussi ces

L'humanité, Hadewijch, La Vie de Jésus

femmes sont-elles physiques, «sen[tent] le sol[21]», offrant d'ailleurs au regard leurs mictions comme Marie dans *La Vie de Jésus*, Katia dans *Twentynine Palms* ou Barbe dans *Flandres*. Le corps des hommes est raide, trapu, massif. Leurs mains sont grosses, rougeoyantes, abîmées. Par le choix des acteurs, Bruno Dumont n'interpose aucun filtre esthétique desséchant entre le corps et son surgissement : le corps est montré dans sa nudité première. Le corps est saisissant, comme si sa rudesse vivifiait d'une «barbarie» consentie une beauté qui s'épuise-rait dans le raffinement. Archaïque au sens pasolinien, il est à la fois en deçà et au-delà de l'humain. Le corps s'expose sans pudeur, mais sa beauté retenue est comme l'élargissement infini et muet des sens. Ce qui dans le corps reste dissous, ce qui en lui se refuse, en augmente la présence, le caractère vivant, l'essence.

Ce rayonnement du corps, c'est aussi la puissance du visage. Les gros plans de visage montrent ce qui du corps varie en intensité. Le visage des personnages s'assombrit puis s'illumine par ses seules expressions. Il est le plus souvent ramené du côté «du pôle intensif[22]». Le corps est ainsi pris dans son mouvement d'expression. Le visage d'Hadewijch, dont la bouche va de la grimace à la moue, jusqu'au sourire, porte dans son équivoque le signe d'une délicatesse et d'une proximité avec l'enfance, un inachevé gracieux, tous les possibles de la turbulence et de la douceur. Le regard de Pharaon, juvénile et pro-fond, porte des séries intensives d'amour et de tendresse. De cette intensité, de cette immédiateté du visage rayonne alors une intensité en soi : elle manifeste l'invisible.

---

21. Bruno Dumont, scénario de *L'humanité, op. cit.*, p 10.
22. Gilles Deleuze, cours du 26/01/82, cinéma 2, numéro 8B, Paris 8, retranscription par Nicolas Lehnebach.

3. LE CORPS SIGNIFIE UN MONDE ORIGINEL

Le corps, c'est aussi un espace expressif qui habite le monde et le signifie. Dans les films de Bruno Dumont, il signifie un monde originel.

Le corps en mouvement

Les mouvements du corps des personnages sont toujours incertains et *parlent* un monde qui n'est pas encore stable. L'équilibre est très précaire. Freddy, dans *La Vie de Jésus*, fend le paysage dans ses déplacements en mobylette mais il chute. Dans *Twentynine Palms*, Katia et David sillonnent les routes désertiques de Californie mais c'est par leur corps qu'ils apprivoisent l'immensité, c'est par leur déplacement que cet espace apparaît à la fois comme un espace d'harmonie et de plénitude et comme un espace de peur et de dissension. Le mouvement «fait du corps le lieu à partir duquel il y a quelque chose à faire dans le monde[23]», et il est à l'état naissant, laissé dans l'incomplétude. Le mouvement reste lent, erratique, insaisissable.

En même temps le corps dans son mouvement, dans son surgissement de forme flottante, a cette qualité que Michel Crouzet reconnaît comme propre à la grâce, c'est-à-dire d'être un état toujours «mobile sans paraître moteur[24]». Hadewijch marche en zigzagant, son mouvement est heurté, maladroit. Mais le bégaiement du personnage dans ses déplacements procure une sensation de flottement du corps. La lenteur extrême de Pharaon est une suspension de son corps dans

---

23. Maurice Merleau-Ponty, *Résumés de cours. Collège de France 1952-1960*, Paris, Nrf-Gallimard, 1968, p. 16.
24. Michel Crouzet, *Le Naturel, la grâce et le réel dans la poétique de Stendhal. Essai sur la genèse du romantisme 2*, Genève, Slatkine Reprints, 2009, p. 170.

l'espace et son oscillation, son hésitation défont l'organicité corporelle pour mettre en lumière le caractère évanescent et gracieux de son être. Le mouvement retire au corps son épaisseur et l'enveloppe de cet insaisissable, de cette intensité qui ne dit pas ce qu'elle est mais qui est là, rendue visible dans son invisibilité même. Le monde, par le mouvement du corps, est donc aussi « illocalisable », infini.

La connivence originelle du corps à la terre et au ciel

Le corps est ce qui relie au plus intime de la nature. Il appartient intégralement au sol. Dès les premiers plans visuels et sonores des films de Bruno Dumont, le corps est au contact de la terre. Dans *L'humanité*, Pharaon marche dans les labours et s'y enfonce : il tombe au sol, visage contre la terre grasse et nue. L'insert sur ses pieds dans une terre qui

L'humanité, Flandres

l'englue sur le plan sonore est monté *cut* avec le gros plan de son visage enfoncé dans la terre labourée. Le montage tranchant signale immédiatement la connivence de Pharaon à la terre mais aussi comme une écorchure ; il rappelle la sauvagerie que peut contenir une terre dénudée, sans végétation alors, qu'elle est pourtant domestiquée, labourée. La lumière très froide, presque grise accentue l'impression de pesanteur.

Dans *La Vie de Jésus*, Freddy se déplace à toute vitesse sur sa mobylette ; arrivant devant chez lui, il tombe, visage contre le bitume. Le premier plan cadre le visage de Freddy : on ne voit que ses yeux à travers un casque intégral sans visière et c'est son regard qui exprime l'« insurrection » de la mobylette ; Freddy regarde loin devant, les yeux frondeurs. Le cadre se desserre et Freddy, au centre de l'image, fend le paysage en plan d'ensemble. Il traverse alors la ville, sa vitesse ralentit à l'image mais s'accentue au niveau sonore : le bruit de la mobylette déchire le silence. Brutalement, dans un faux raccord, Freddy dérape et tombe au sol, tête la première. Au départ fluide, le mouvement de la caméra devient heurté, puis le rythme du montage s'accélère comme pour précipiter le personnage dans sa chute : il le fixe irrémédiablement au sol. Accroché à la terre, Freddy en porte aussitôt la trace sur son corps par des éraflures, des écorchures qu'il conserve plus tard dans le film, par des cicatrices toujours bien visibles.

Dans *Flandres*, Demester marche les pieds enfoncés dans la boue. L'engluement des pas du personnage reste hors champ, il s'entend. Le plan sonore renforce ainsi le contact de Demester avec la matière. La sonorité a d'ailleurs une résonance qui renvoie à un sol poreux et mouvant. Dans *Hadewijch*, Céline marche dans un sous-bois. Ses pieds accrochent à la terre. La pesanteur est accentuée par l'immobilité du paysage : ce qui ne bouge pas pèse. La lourdeur de l'atmosphère est aussi ressentie au plan sonore par une vibration sourde qui crée un sentiment d'oppression acousmatique.

Le corps n'est pas simplement face à la terre, il est à elle, avec elle : il en est la sève même. La terre, c'est là que réside sa perte : la «terre n'est pas sourde[25]», labourée, retournée, elle porte les traces de l'abjection (le viol d'une fillette, le crime de Freddy et de Demester). Cette terre est brutalisée, déchirée, comme l'est la chair. Le corps à son contact exprime ce qui se fissure. Et pourtant c'est aussi en elle que se tient le devenir des personnages : Pharaon lui demande pardon, il s'humilie en y tombant ou en y plongeant les mains pour faire son jardin, pour faire repousser et renaître ; Freddy, après son crime, y frappe tout son corps «pour que ça s'arrête[26]». Dans *Twentynine Palms*,

Twentynine Palms

25. Bruno Dumont, scénario de *L'humanité, op. cit.*, p. 4.
26. Bruno Dumont, *La Vie de Jésus* (texte pour le scénario du film), Paris, Dis Voir, 1996, p. 109.

David, à plusieurs reprises, s'accroupit et gratte la terre, la faisant passer entre ses mains. La terre, c'est le terrain bas et lourd du réel, là où se tient, où s'incorpore et sourd l'animalité. Mais si les personnages sont rattachés à la terre, ils ont aussi les yeux levé. Leur regard est souvent accroché au ciel. Dans *Flandres*, Barbe écoute « à sa fente[27] » l'homme qu'elle aime et regarde le ciel après son coït avec lui. Pharaon et Domino lèvent les yeux au ciel dans *L'humanité* lorsqu'ils parlent du viol de la fillette. Dans *Twentynine Palms*, David et Katia sont nus sur les rochers, en plein désert, le corps à l'horizontale, baigné de lumière, face contre le ciel. Dans le dernier plan de *La Vie de Jésus*, Freddy, après avoir passé la nuit sur le lieu de son crime, offre son visage au soleil. Hadewijch, de son côté, a le plus souvent le regard fixé au ciel.

L'humanité, Flandres

La Vie de Jésus

Aussi la pesanteur et l'engluement de la terre s'inversent-ils en élévation. La terre et le ciel sont définis par Saint Augustin comme les « deux grands corps de la Nature », ils sont matière corporelle et spirituelle. Tous les plans des films sont construits selon un axe horizontal qui sépare l'image entre ciel et terre. L'homme et le paysage se donnent comme tension entre ces deux pôles, ces deux lignes de fuite que sont la terre et le ciel. Il y a la terre que les personnages regardent devant eux ou dans laquelle ils s'enfoncent. La terre limite, c'est là où tout s'arrête en la regardant à une certaine distance ou en y étant plongé au plus profond. Et il y a le ciel, cette dimension de l'ouverture. Cette ouverture appelle les personnages à être plus que naturellement

27. Bruno Dumont, note d'intention de *L'humanité*, *op. cit.*

dans le monde, à sentir quelque chose d'immense qu'ils ne peuvent plus mettre simplement quelque part : l'amour pour Barbe, David et Katia, la compassion pour Pharaon, la rédemption pour Freddy. Au fond du ciel, David, Pharaon ou Freddy n'ont rien à voir mais à sentir : être là où «être homme, c'est être ouvert à infiniment plus qu'être simplement un homme[28]».

La terre fixe l'homme au sol. En même temps, il éprouve par la présence du ciel ce qui dépasse ce qu'il est. Dans la connivence au ciel des personnages s'établit alors la connivence avec la lumière. S'il y a cette connivence du corps à la terre, c'est parce que le corps enracine, il est la matière même de l'existence. L'enracinement est donc avant tout perceptif. Aussi le monde est-il celui de l'origine, un monde pré-réflexif, d'avant l'émergence de toute parole et de toute conscience : un monde sensible, contenant «tout ce qui sera jamais dit et qui pourtant reste à créer[29]». Et la connivence avec le ciel porte cette dimension de l'in-fini. L'in-fini, c'est l'inachèvement. Pas de nostalgie de l'origine chez Bruno Dumont mais un intérêt pour le passage intermittent et non définitif d'un état à un autre : le passage de l'animalité à la grâce, de l'homme premier au premier homme.

Le paysage : vide, vertige, sublime

Dans ce monde sensible, les paysages sont la résonance primitive des personnages, et l'expression de leur vertige comme de leur in-fini. Les paysages ne sont pas topographiques : «Même si je tourne en extérieur, je ne filme que l'intérieur, le film lui-même c'est l'intérieur, du début à la fin. C'est pour ça que quand je filme un paysage, c'est l'intériorité[30].» Aux gros plans sur les visages répondent alors dans tous les films des plans larges sur les paysages que les personnages regardent.

28. Jean-Luc Nancy, *Au ciel et sur la terre. Petite conférence sur Dieu*, Paris, Bayard, coll. «Petites conférences», 2004, p. 34.
29. Maurice Merleau-Ponty, *Le Visible et l'Invisible* [1964], Paris, Gallimard, coll. «Tel», 1979, p. 223.
30. Philippe Tancelin, «Bruno Dumont. Enquêtes sur le réel (entretien) », *op. cit.*, p. 74.

Les paysages «sans lieu», sans coordonnée, sans nom reflètent l'intériorité de l'homme, sa spiritualité. L'intériorité de l'homme est une intériorité à l'état naissant. Sa vibration anime l'arbre, la ruine, le sable, la terre puisqu'elle les habite tous et y circule, y plonge en leur source vive. La nature est à l'écoute de ces vibrations intérieures que le ciel et le vent réfléchissent en frémissements. Aussi les paysages reflètent-ils une intériorité primitive et sauvage : ils sont des paysages nus. Leur précarité est à la fois cet état antérieur, ce lieu originel et ce lieu du «*locus horridus*», rugueux, âpre au sens propre, «sauvage, farouche, terrible» au sens figuré. Les paysages sont la résonance de l'animalité de l'homme premier et de la grâce du premier homme.

Dans *Flandres*, *La Vie de Jésus* et *L'humanité*, les paysages sont nus, aplatis. Leur vide est d'abord celui de l'homme que rien n'habite. Ils témoignent de l'arrivée au monde de l'homme qui le façonne à ce qui le traverse. L'espace est un «un espace quelconque», inassignable, un entre-lieux, fragmenté, disséminé, où «les distinctions héritées de l'espace tendent à s'évanouir[31]». Bref, un non lieu. D'ailleurs, lors de la projection en avant-première de *La Vie de Jésus*, les habitants de Bailleul (où a été tourné le film) ont dit au cinéaste ne pas avoir reconnu leur ville. Même la ville de Paris dans *Hadewijch* échappe aux représentations habituelles : elle est hors de son agitation, sur les plans sonore et visuel. Aucun bruit de circulation ou presque, les rues sont désertes.

Le vide, c'est aussi sentir dans cette magnitude démesurée des choses de quoi bouleverser les échelles et relativiser sa place. L'ennui, la monotonie et la vacuité de l'existence en sont l'expression. Dans *L'humanité*, Pharaon et Domino sont adossés contre le mur crépi de la façade de leur maison et regardent la rue, le plus souvent déserte, où le passage d'un semi-remorque à toute vitesse est le seul point sonore fixant le bruit de la ville. Dans *La Vie de Jésus*, Freddy et ses copains végètent allongés sur les marches de l'église, «à ne rien dire, à être las, à attendre rien [...] de ce néant dont ils sont pros[32]».

---

31. Gilles Deleuze, *Cinéma 1. L'image-mouvement*, Paris, Les Éditions de Minuit, coll. «Critique», 1983, p. 154.
32. Bruno Dumont, *La Vie de Jésus, op. cit.*, p. 79.

Le vide est la solitude de l'homme. Le format Cinémascope accentue cette solitude des personnages : même s'ils apparaissent très souvent en gros plan, la moitié de l'espace autour d'eux reste visible. Le plan large les perd dans le monde, dans le rapport qu'ils entretiennent au monde. Bruno Dumont cadre le plus souvent le personnage au centre de l'image afin de renforcer autour de lui ce vide, sa solitude. Mais, en même temps, derrière le vide et derrière leur horizontalité, les paysages enferment des chaos bruissants

La Vie de Jésus

Twentynine Palms

qui, contenus sous pression, sont près d'exploser. Les paysages sont aussi l'abîme dans lequel l'homme plonge. Dans *Twentynine Palms*, l'immensité du désert est l'abîme infini au-dessus duquel David et Katia sont penchés. Les roches nues, la poussière, les arbres de Joshua sont l'expression de leur animalité ; ils s'y accouplent brutalement, se couchent nus, urinent, s'accroupissent. Ils sont comme les signes fossiles de leurs pulsions. Ils éprouvent l'effroi, le terrible, car le désert leur rend cette unité primitive, leur nature : « Ce vaste terrain appelé Désert, qui est du caractère le plus sauvage, imprime à l'âme un mouvement de terreur. La scène est semée d'accidents extraordinaires et effrayants : le terrain est partout tourmenté et même bouleversé, les montagnes, les rochers épars et entassés confusément offrent cet air de désordre qu'on appelle communément une belle horreur[33]. »

Dans *Flandres*, l'intériorité sauvage de Demester est aussi un désert. Ce désert est espace barbare qui est l'autre de l'espace civilisé : là où une sauvagerie naturelle le situe hors la loi, l'abîme. Le paysage est étendu, sans limites circonscrites : un espace vaste et démesuré qui en est aussi le négatif, dévasté, ruiné par les horreurs

---

33. Jean-Jacques Rousseau, *Julie ou la Nouvelle Héloïse* [1761], in *Œuvres complètes*, tome II, Paris, *Nrf*-Gallimard, coll. « Bibliothèque de la Pléiade », 1964, p. 90.

de la guerre, une terre abandonnée, à l'état brut, où toutes les exactions, toutes les abjections sont possibles. Un paysage qui, par son immensité, désoriente et désaxe. La verticalité menaçante des reliefs montagneux et des points de passage escarpés est l'horreur naturelle de la pulsion criminelle de Demester. Les étendues sableuses disent son enfouissement au sein de la terre, au sein du terrible. L'aridité du désert est celle de ses sentiments.

L'espace originel

Le désert, c'est aussi le lieu anatomique, anti-social, ignorant toute culture : un désert édénique. Dans *Twentynine Palms*, la végétation rare et l'aridité sont la nudité de David et Katia, *dé-couverts* l'un à l'autre. Son immensité est l'espace infini de leur amour qui les relie à l'infini de l'univers. Le « désert » des Flandres et celui de Californie, filmé exactement de la même manière par Bruno Dumont, n'ont pas de contours, leur surface tremble et la lumière comme l'horreur y sourdent. Le paysage, comme l'intériorité, est cette tension précairement stabilisée, ce lieu d'interpénétration du ciel et de la terre, du léger et du lourd, du mouvement et de l'immobile.

Si les paysages sont l'intériorité des personnages, ils y projettent aussi ce qu'ils ressentent. Dans *Hadewijch*, Céline est amoureuse du Christ. Aliénée par sa superstition, l'idéal d'amour qui n'existe nulle part, elle imprime aux paysages sa foi extatique. Lorsqu'elle rend visite à Yassine en banlieue, un plan en plongée sur un square situé au milieu des tours d'immeubles révèle un agencement des buissons en forme de croix. Lorsqu'elle prie dans sa cellule au couvent, on entrevoit par la fenêtre une grue suspendue dans les airs ; sur la terrasse où elle rencontre les musulmans au Moyen-Orient, le mot « *eternity* » se détache face à elle sur le mur d'une maison, témoignant de sa

Hadewijch

propension à voir la présence de Dieu dans le moindre recoin de paysage. Ces signes sont dans le regard de Céline. Ils sont la perception d'un monde où le Christ est partout, ou plutôt ce qui manifeste sa présence. En même temps, ces signes relèvent de la superstition parce qu'ils sont visibles : ce qui est de l'ordre de l'invisible, ce que cherche véritablement Céline, c'est-à-dire le corps du Christ, sa présence charnelle, reste absent.

Rejetée du couvent, Céline est forcée de retourner dans le monde. Mais ce monde, parce qu'elle ne peut pas l'habiter, est «sans âme», sans vécu. L'appartement dans lequel vit Céline est démesurément grand et vide. Elle y erre perdue, écrasée : la disproportion entre cette réalité et la sienne s'intensifie. Au vide de l'appartement retentissent en écho la monotonie et le désœuvrement d'un quotidien qui a arraché Céline au couvent : à l'enfermement dans la prière succède l'enfermement dans cet espace morne. Aucune pénétration n'est possible à l'exclusion de celle du Christ et Céline reste totalement détachée de ces cadres pourtant très figés.

Dans *L'humanité*, Pharaon projette dans le paysage son effroi né de la vue sur le sexe de la fillette violée. Deux plans successifs, raccordés par le bruit du moteur de sa voiture et indiquant sa présence, brisent la temporalité et la cohérence narrative par leur différence de lumière. La netteté du premier plan – les contours sur le sexe sont très précis – et le cadre très serré correspondent au regard figé, tétanisé de Pharaon. Le brouillard en contrepoint dans le plan suivant (un plan large sur le bord de la route où se trouve le corps) estompe les contours et rend compte du vacillement de Pharaon, de son foudroiement aveuglant. Il s'agit de la même scène mais l'effroi de Pharaon en modifie la tonalité.

Si les personnages projettent ce qu'ils ressentent dans les paysages, ils les subliment aussi. La nature en état de virginité ou de liberté native, monotone, effroyable ou apaisante, offre aux personnages de quoi être débordés. Ils découvrent l'abîme intérieur de leur destination et en trouvent une image dans l'immensité ou la monotonie de la nature. Leur esprit se met en branle, en mouvement, ils sont touchés par le sublime. Le sublime est écrasement et dépassement : la pression de l'infini est paradoxalement ressentie comme enfermement, tout en étant une ouverture spirituelle.

La nature est la présence d'une absence, foisonnante, bruissante. Aussi représente-t-elle le pur glissement du temps, qui invite à être présent à soi-même : « Sur ces monts déserts, où le ciel est immense, où l'air est plus fixe et les temps moins rapides : là, la nature entière exprime un ordre plus grand, une harmonie plus visible, un ensemble éternel. Là, l'homme retrouve sa forme altérable mais indestructible : il respire l'air sauvage, son être est à lui comme à l'univers : il vit d'une vie éternelle dans l'unité sublime[34]. » En même temps que le paysage contient l'état de nature, il appelle à cette élévation spirituelle.

Si le sublime se présente comme l'expression d'« une vie éternelle », donc de l'infini, l'élévation du personnage à la hauteur de cette idée d'infini induit la présence d'une faculté suprasensible. L'immensité du désert et de la mer vont ainsi conduire les personnages à s'élever, ou plutôt à s'intensifier. La mer, c'est celle au bord de laquelle Freddy, à plein régime, au volant de sa voiture, emmène Miche qui a perdu son frère. Là, ses mots se nouent dans la gorge, et sa compassion la plus nue l'élève à un état de plénitude. Cette élévation est figurée par un travelling vertical. La séquence s'ouvre d'abord sur un travelling avant cadré sur le profil de Freddy au volant de sa voiture. On entend sa voix : « Ce n'est pas évident... la mort, tout ça. » Le travelling se poursuit sur un fondu au blanc silencieux, qui est en fait un plan du ciel confondu avec l'horizon de la mer, puis s'achève sur un plan d'ensemble de la voiture au milieu des dunes. Les voix des personnages s'élèvent à nouveau, mêlées à la musique de l'autoradio. La mer est l'horizon où Freddy s'ouvre à la douleur de son ami.

La mer, c'est aussi la plage de la côte d'Opale où Domino, Joseph et Pharaon se promènent et depuis laquelle ils regardent au loin la falaise de Douvres. Cette ouverture donne une idée de l'illimité, de l'infini. Elle est une suspension de l'être d'où regarder et éprouver : « En voyant la mer au lieu de la rue, dans un petit port de mer, au lieu

---

34. Michel Crouzet, *Le Naturel, la grâce et le réel dans la poétique de Stendhal. Essai sur la genèse du romantisme 2, op. cit.*, p 111.

de la petitesse des hommes, on voit leur grandeur. Au lieu d'être ridicules, leurs malheurs sont touchants[35]. » Après leur balade au bord de la mer, Domino, Pharaon et Joseph s'élèvent : ils montent au sommet d'un fort, en front de l'estuaire. Cette élévation n'est pas seulement physique. Sur la terrasse du belvédère, les trois personnages s'ouvrent au mouvement de l'eau, ils y ressentent leur propre flux et reflux. Ils en éprouvent la coïncidence et la promiscuité avec leur propre matière corporelle : Pharaon contemple, muet, saisi, et ne peut que balbutier : « Ce que c'est beau, p'tain… c'est… » Les mots achoppent comme si le langage ne pouvait contenir cette immensité.

Parce que le sublime conjugue les impossibles et désoriente les orientations géométriques de l'espace comme de la morale – le haut coïncide avec le bas, le bas est d'autant plus haut qu'il est bas –, il naît de l'animalité, de l'effroi et, paradoxalement, il ouvre à la grâce. Autrement dit, le sublime fait éprouver une force vitale qui tend vers l'infini et s'élève au-dessus même de la sensibilité. Il ouvre vers un au-delà de l'expérience sensible que représente l'horizon : il donne à voir et presque à toucher l'intangible. Ce que contient l'expérience du paysage est donc la perception de choses visibles à la fois présentes mais aussi chargées d'invisible.

L'homme « aux commencements » parle avec son corps. Il exprime le monde par son corps. Le monde est celui de l'origine, un monde sensible. Le sensible « est l'être qui m'atteint au plus secret mais aussi que j'atteins à l'état brut ou sauvage, dans un absolu de présence qui détient le secret du monde, des autres et du vrai[36] ». De ce monde sensible sourd l'état brut de l'homme premier. Mais parler avec son corps, c'est aussi pour cet homme dire ce qui ne peut se dire autrement : c'est dire l'ineffable. Ce monde sensible est traversé d'éclairs intérieurs ; en lui surgit l'intensité présente de la grâce, la spiritualité du premier homme.

---

35. Stendhal, *Journal, tome 1* [1801-1817], in *Œuvres intimes*, Paris, *Nrf*-Gallimard, coll. « Bibliothèque de la Pléiade », 1981, p. 67.
36. Maurice Merleau-Ponty, *Le Visible et l'Invisible, op. cit.*, p. 223.

II. UN HOMME EN ZONE DE TURBULENCES
UN MYSTIQUE SAUVAGE

Par son corps, l'homme est donc tendu entre l'animalité et la grâce, entre un «logos sauvage» et le logos d'une intériorité bruissante. De «l'irrémédiable appel des orifices des corps vivants et physiques[1]» – le vide du trou noir et de la nuit originaire – à celui de la lumière – élan vers un état de plénitude –, il va et vient entre des pulsions en apparence contraires. Comme pris dans un mouvement tourbillonnaire, l'homme est ébranlé et poussé aux limites, là où le sens est aspiré par les affects, du dehors comme du dedans, de l'extérieur comme de l'intérieur.

L'homme porte en lui la survivance de pulsions incontrôlables capables d'agiter le présent dans ses propres gestes : pulsions originaires, toujours plurielles, contraintes à coexister pourtant dans le même corps : des pulsions dionysiaques. Le passionnel et l'obscur rejaillissent. Ces pulsions expriment les forces qui l'animent, la volonté qui le possède, ce qui en lui se manifeste ou se cache : elles *parlent* une animalité bruyante. L'homme premier est un homme cru. Mais en allant à l'impossible, l'homme est poussé en même temps à l'infini. Plongé dans la contemplation du monde, il s'ouvre à l'émotion pure. Ces pulsions de grâce témoignent du retour de son esprit d'enfance, de sa capacité d'absorption et de son aspiration à un état de plénitude.

L'homme est un mystique sauvage.

---

1. Bruno Dumont, scénario de *L'humanité*, *op. cit.*

1. L'espace des pulsions dionysiaques

Le corps est l'être au monde des personnages : il est la dimension originaire où tout se tient. Mais ce corps est un « logos sauvage[2] » : non déterminé, non conceptualisé, pré-réflexif. L'animalité de l'homme dans le cinéma de Bruno Dumont est bruyante : au plus près de la nature, il est aussi, au fond des instincts, un homme cru.

Sa perception à l'autre est auditive, olfactive, épidermique, buccale. Cette perception le place dans un rapport primitif aux gens. Cette crudité est inscrite dans le corps du film lui-même, faisant appel aux formes primitives de la sensibilité. Le cinéma de Bruno Dumont est une expérience d'immersion, à même de fouiller au plus profond. Le sens est premier, le film l'appelle avant l'intelligence. Il est cru parce qu'il va à l'os. Le filmage est alors « crûment physiologique[3] ». Dans *L'humanité*, la caméra cadre le sang sur le vagin de la fillette violée, la bave qui s'écoule de la bouche de Pharaon lorsqu'il fait du vélo, la transpiration du commissaire de police et de Domino, les expectorations de Joseph lorsqu'il fait l'amour avec Domino ; dans *Flandres*, les pas de Demester enfoncés dans la boue, le sperme qui s'écoule des cuisses de Barbe après son coït dans l'étable avec un fermier, les mictions de Barbe ; dans *La Vie de Jésus*, la bave blanche qui déborde de la bouche de Freddy lors de ses crises d'épilepsie, les mictions de Marie, l'eau qui s'écoule sur le corps adipeux de la mère, la terre sous les ongles de Freddy.

Le son est également cru. Toujours en prise directe, il est cependant amplifié, hypertrophié : même en plan large, alors que les personnages sont très loin, on perçoit de façon très prégnante leurs halètements, leur respiration, la glace qui craque sous leurs pieds, la

2. Maurice Merleau-Ponty, *Le Visible et l'Invisible*, *op. cit*, p. 112.
3. Franck Garbarz, « *L'humanité* », *Positif* (Paris), n° 465, novembre 1999, p. 50.

boue qui englue leurs pas. La puissance sonore de bruits naturels crée la sensation du réel à tous les niveaux. Dans *Twentynine Palms*, face à l'immensité du désert en format Cinémascope, ce sont les bruits des voitures, des éoliennes, du train de marchandises qui «cassent la surface de l'écran et permettent d'entrer dans le décor : le spectateur, comme les personnages, sont forcés de vivre ce qu'ils entendent[4]». *L'humanité* s'ouvre sur le souffle de Pharaon, rendu visible quelques instants plus tard mais très lointain, comme un point minuscule traversant la ligne d'horizon, l'immensité du paysage. Le son de sa respiration place le spectateur à l'intérieur de son corps. De même, le son très prégnant du vent, c'est l'air froid et sec ressenti par les pores de la peau de Pharaon ; le bruit de ses pas qui s'enfoncent dans la terre, c'est son contact charnel avec elle. Le son «restitue ce plus d'énergie vitale[5]». La captation brute du bruit est un instrument d'extorsion et d'exposition à toutes les sensations.

Enfin, le son est cru dans sa résonance crasse : mastications exagérées de David, fracas et choc de son sexe dans celui de Katia dans *Twentynine Palms*, cris de Domino et Joseph lorsqu'ils jouissent, reniflements de Pharaon lorsqu'il fait du vélo dans *L'humanité*. Cette résonance renvoie au corps qui souffre, qui s'éprouve — au sens de l'épreuve. L'homme cru est cet homme à vif, dont le mal — comme les aliments par un processus de putréfaction retournent à la terre s'ils ne sont pas cuits — retrouve sa nature et sort de la culture[6]. Si des images et des sons sourd cette crudité, c'est parce que l'homme a un rapport instinctuel au monde et à l'autre : les gestes et le corps font sens et signe, «[les] pensées doivent être considérées comme des gestes correspondant [aux] instincts comme tous les gestes[7]». Et, à travers ce rapport, se manifestent ses pulsions, des pulsions dionysiaques.

4. Matthieu Darras, «Le cinéma est pour le corps, pour les émotions. Entretien avec Bruno Dumont», *Positif* (Paris), n° 511, septembre 2003, p. 37.
5. Thierry Millet, *Bruit et Cinéma*, Aix-en-Provence, Publications de l'université de Provence, coll. « Hors champ», 2007, p. 203.
6. Référence à Claude Levi-Strauss, *Mythologiques, tome 1. Le cru et le cuit*, Paris, Plon, 1964.
7. Friedrich Nietzsche, *Aurore et fragments posthumes* [1879-1881], traduit de l'allemand par Maurice de Gandillac, in *Œuvres complètes*, tome IV, Paris, *Nrf*-Gallimard, coll. «Bibliothèque de la Pléiade», 1970, p. 91.

Dionysos représente l'instinct primitif, il est le dieu de l'ivresse, la puissance effrayante et étrangère qui livre l'homme à l'horreur devant l'indifférenciation première d'où il vient. Il est l'épreuve d'un chaos de contradictions et de souffrances dans l'être, « chaos d'êtres qui souffrent et se lacèrent la chair[8] ». L'expérience dionysiaque exprime « l'épanchement d'une âme passionnée et douloureusement débordante en des états de conscience plus indistincts, plus pleins et plus légers ; un acquiescement extasié à la propriété générale qu'a la vie d'être la même sous tous les changements, également puissante, également enivrante, le sentiment d'unité embrassant la nécessité de la création et celle de la destruction[9] ».

Les personnages de Bruno Dumont sont des hommes crus et ils vont faire cette expérience. L'expérience, du grec *peira*, signifie l'essai, la tentative menée sans réserve. *Peiro*, c'est aller au travers, traverser de part en part, c'est s'exposer au risque de perdre toute posture stable. Aussi les personnages substituent-ils à la recherche de l'équilibre l'expérience des limites, à la volonté de savoir et d'avoir l'expérience de la perte, c'est-à-dire l'expérience de tous les possibles. Ils découvrent « cet arrière-fonds originel du monde[10] » et des forces souterraines, irrationnelles qui les animent : la démesure, la dissonance, la lutte perpétuelle, l'anéantissement.

La démesure

Les personnages dans les films de Bruno Dumont sont des êtres « excessifs » : ceux qui excèdent leur part, cette *moïra* qui fixe des limites à l'exercice et à l'accomplissement de la volonté. Les pulsions sont plurielles et leur multitude est comme celle de la multiplicité de la volonté de puissance : une multitude agissante en soi-même dans une transfiguration permanente. Dès lors, les pulsions se manifestent

---

8. Friedrich Nietzsche, *Naissance de la tragédie, op. cit*, p. 73.
9. Friedrich Nietzsche, *Fragments posthumes, 1887-1888*, traduit de l'allemand par Henri-Alexis Baatsch et Pierre Klossowski, Paris, Gallimard, coll. « Œuvres philosophiques complètes », 1976, p. 45.
10. Friedrich Nietzsche, *Naissance de la tragédie, op. cit.*, p. 87.

en tant que quantités de puissances et ce qu'elles veulent est se dépasser. Dans *Hadewijch*, Céline en quête de l'incarnation du corps du Christ, souffrant de son absence, est pur amour et elle est en suspension au-dessus du réel. Céline est cette mystique en excès d'amour, qui par sa toute-puissance à aimer « éprouve et traverse les illusions et dangers des superstitions et y meurt[11] ». Freddy, dans *La Vie de Jésus*, est cet homme dépossédé de lui-même par la jalousie qui le mène à l'aveuglement criminel en crucifiant Kader. David et Katia, dans *Twentynine Palms*, sont excédés de désirs, complètement désaxés, pris entre leurs cris et leurs pleurs. Dans *Flandres*, Barbe est rongée de l'intérieur par l'amour, qui l'entame et la conduit à la folie. Les personnages sont douloureusement débordés par cet hybris et cette « expansion » d'eux-mêmes en fait, dans le cadre, des points infimes traversant l'horizon, entre le ciel et la terre. Mais la récurrence des plans larges et le format Scope, s'ils renvoient à la solitude des personnages – à l'exception de *Hadewijch* au format 1.66 –, rendent aussi compte de ce débordement : les personnages sont dépassés, confrontés à l'immensité d'un cadre qui est celle de leur démesure. Ils sont isolés dans une nature dont l'immensité est celle de leur propre nature, d'où le vertige, d'où leurs positions toujours vacillantes.

L'excès vide également l'espace : l'esthétique épurée de Bruno Dumont est un contrepoint qui accentue la manifestation et l'expression des désirs. L'épure dépouille le réel en un hyperréalisme et les secousses qui traversent les personnages sont ressenties avec plus de violence encore. La répétition et la vacuité des actions font rejaillir de façon beaucoup plus brutale cette démesure. La condensation soudaine, l'accélération vertigineuse irradient. *Twentynine Palms* est la succession de scènes identiques dans lesquelles David et Katia errent dans le désert ou sur les routes, mangent et s'étreignent dans leur chambre d'hôtel, jusqu'à l'explosion finale des dix dernières minutes ; *La Vie de Jésus* filme les virées répétitives de Freddy avec sa bande de copains, le « dressage » de son pinson, les moments passés avec Marie jusqu'au meurtre de Kader ; *Hadewijch* met en scène les errances de Céline

---

11. Propos de Bruno Dumont à propos d'*Hadewijch*, recueillis par Jean Sébastien Chauvin, en septembre 2009, sur www.commeaucinema.com.

jusqu'à l'image inattendue de l'explosion de la bombe, au milieu du silence. Le temps véritable est le temps qui fulgure. Au temps horizontal de la succession et de la répétition qui asservit, paralyse, englue, le temps vertical de l'instant déchire la fatalité temporelle et délie l'être enchaîné dans le temps du mouvement figé. L'expérience de la démesure est l'éclatement, la déflagration du temps lui-même, résonnant «dans un présent qui n'est toutefois que la frontière extérieure d'une coexistence de couches du passé». Rappelant à la violence absolue du commencement qui suspend le définitif, «le temps sort de ses gonds[12]».

À la démesure Nietzsche rattache la volonté de puissance. Cette démesure est, pour les personnages, un besoin de «dépassement», c'est-à-dire le dépassement de «la banalité quotidienne, de la société, de la réalité, franchissant l'abîme de l'éphémère[13]». La dissonance renvoie à la rupture du principe d'individuation, due à cette remontée du plus intime, à cette unité primitive de l'homme cru. Aussi est-elle indifférenciation et absence de hiérarchie, rupture de l'harmonie. Cette dissonance s'entend. La crudité sonore déjà évoquée, c'est aussi la mise sur le même plan de tous les sons : le chant des oiseaux, le souffle du vent et le bruit d'un moteur de voiture ou de mobylette dans *L'humanité* et *La Vie de Jésus*, les balbutiements d'une prière et le bruit d'une grue dans *Hadewijch*, une musique classique et les bruits de la circulation dans *Twentynine Palms*, un mot d'amour et le fracas d'une barre en métal dans *Flandres*. Les sons sont mis sur le même plan ou leur résonance renvoie indifféremment à une réalité différente : le raccord d'un plan à un autre est souvent sonore et le bruit d'un sexe dans un autre produit le même écho que celui de pas dans la terre boueuse ou celui d'une mastication.

Cette indifférenciation sonore dit la dysharmonie qui habite l'homme. La dissonance est aussi une dissonance intime : la rupture d'une harmonie qui s'extériorise car la vie «ne résout pas la douleur en l'intériorisant, elle l'affirme dans l'élément de son extériorité[14]». Si la rupture de l'harmonie s'extériorise, la dissonance se révèle à

12. Gilles Deleuze, *Cinéma 2. L'image-temps*, op. cit, p. 130.
13. Friedrich Nietzsche, *Naissance de la tragédie*, op. cit., p. 94.
14. Gilles Deleuze, *Nietzsche et la philosophie*, Paris, PUF, 1962, p. 18.

L'humanité

La Vie de Jésus

travers le corps. Le visage, pourtant ordinaire dans son humilité (aucun fard, rudesse des traits, peau granuleuse ou adipeuse) « détruit à tout moment, et déborde l'image plastique[15] ». Pareille beauté naturelle rend âpres les personnages de Bruno Dumont. Leurs visages renvoient à l'informe, au sens d'inachevé gracieux, mais aussi au pathologique, parfois au monstrueux lorsqu'ils se déforment dans leur jouissance. Ils ne tiennent jamais dans la place que pourraient leur assigner les affects qui les traversent, ayant toujours en eux un surplus ou un écart par rapport à ce qu'ils montrent, « obscénité nécessaire et brève, s'insérant dans la douceur des êtres, au visage[16] ». Dans *La Vie de Jésus*, le visage de Cloclo, l'ami de Freddy malade du sida, est « grimé », déguisé en mourant. Son visage se refuse et c'est par ce qu'il refuse que Freddy est affecté et en porte le *pathos*. La maladie ne s'éprouve pas par les stigmates visibles à la surface de la chair de Cloclo, mais par ce qu'elle ne dit pas et qui est dans les yeux de Freddy. Dans *Twentynine Palms*, David est frappé violemment au visage par ses agresseurs. Son visage défait et son crâne rasé surgit brutalement de la salle de bains où David s'est enfermé après le viol : plus qu'un visage déformé, c'est le masque de sa monstruosité. À la fin de *L'humanité*, le visage de Domino est défait comme s'il ne pouvait plus supporter de contenir tant d'horreur et d'abjection. Il est plus épais, obscène. La durée du plan d'ailleurs le « dé-visage », c'est-à-dire « le nécrose, le gangrène, le ruine[17] ». Le visage filmé profondément, cadré très près, devient autre chose. Sa déformation vise le monstre, le non-humain.

15. Emmanuel Levinas, *Totalité et infini*, La Haye, Martinus Nijhoff, 1961, p. 54.
16. Bruno Dumont, note d'intention de *L'humanité*, *op. cit.*
17. Jacques Aumont, *Du visage au cinéma*, Paris, Cahiers du cinéma, coll. « Essais », 1992, p. 139.

Le corps, comme le visage, vibre et résonne à l'écart, dans l'intervalle. Dans *L'humanité*, Pharaon est toujours décalé : il ressent l'effroi et la souffrance dans sa chair mais son corps se déplace avec une extrême lenteur ; il reste dans l'étreinte. Dans *La Vie de Jésus*, le corps de Freddy se convulse lors de ses crises d'épilepsie mais sa violence reste pourtant très mécanique : ses coups de pieds dans le mur sont très automatiquement répétés, ceux dans le visage de Kader sont portés avec précision, le geste semble contenu, maîtrisé. En écoutant les sonorités dissonantes de ce corps, une « troisième oreille » peut entendre l'écho des métamorphoses à venir, « la présence d'un chaos apte à enfanter une étoile dansante[18] ».

La discordance intérieure

Cette dissonance dit la discordance intérieure des personnages, tendus entre l'ivresse et l'horreur, entre l'exubérance de la vie et l'exubérance de la mort. La brutalité des personnages révèle leur part charnelle, leurs pulsions, leur cruauté : « Cette chose muette, ces élans, ces répulsions, ces haines, tout informulé et donc cette simple suite de gestes, de paroles insignifiantes et, au centre, sans préambule, cet assaut, ce corps à corps urgent, rapide, sauvage, n'importe où[19] » — tout en étant cette inclination vers l'autre, cette absorption, cette spiritualité du premier homme. Freddy dans *La Vie de Jésus* fend le paysage par ses déplacements sur sa mobylette : il est libre, aérien. Mais

Hadewijch

Freddy chute, terrassé par quelque chose d'intérieur qui le dépasse et le saisit. Son épilepsie devient comme le visage de sa dépossession, comme l'extériorisation de son intériorité effroyable, inquiétante.

18. Friedrich Nietzsche, *Ainsi parlait Zarathoustra*, *op. cit.*, p. 27.
19. Claude Simon, *La Route des Flandres* [1960], Paris, Les Éditions de Minuit, coll. « Double », 1982, p. 49.

Céline dans *Hadewijch* est pur amour et bras armé de Dieu, participant à un attentat terroriste. Elle est Céline et Hadewijch, adolescente «allumée» et mystique illuminée. Barbe dans *Flandres* est cette femme qui accueille Demester, et tente d'absorber l'horreur de son crime en se faisant pénétrer, et celle dont cet amour convulse la chair.

Cette tension est, selon la terminologie nietzschéenne, celle entre l'action et la réaction, action et réaction n'étant pas dans un rapport de succession mais de coexistence dans l'origine elle-même. Le négatif est du côté de la réaction ; l'action, elle, s'affirme, affirme sa différence et fait de cette différence un élément de jouissance. Nietzsche affirme l'existence d'une image renversée de l'origine qui accompagne l'origine : ce qui dit «oui» du point de vue des forces actives devient «non» du point de vue des forces réactives, ce qui est affirmation de soi devient négation de l'autre[20]. En somme, la discordance intérieure des personnages, en même temps qu'elle révèle la multiplicité de l'être, renvoie à l'altérité.

La dissonance sociale

La dissonance est enfin celle des rapports que les personnages entretiennent avec leur milieu. La société et l'institution sont très présentes dans les films. Dans *L'humanité*[21] : la police (Pharaon est lieutenant de police), l'hôpital psychiatrique (Joseph et Barbe y sont suivis), l'école (l'enquête se déroule auprès des enfants du bus scolaire), le musée (celui où Pharaon donne la toile de son aïeul pour une exposition et l'autre, près de la mer, où vont Joseph, Domino et Pharaon), la mairie, l'église (Domino regarde le clocher lorsque Pharaon lui parle de la fillette violée, elle passe devant et regarde par la porte largement ouverte lorsqu'elle rentre de l'usine). Dans *Flandres* : l'hôpital psychiatrique (Barbe s'y fait soigner et interner), l'armée. Dans *La Vie de Jésus* : l'hôpital (là où se meurt Cloclo et où

20. Friedrich Nietzsche, *Généalogie de la morale I* (1887), traduit de l'allemand par Isabelle Hildenbrand et Jean Gratien, Paris, Gallimard, coll. «Folio-essais», 1985, p. 10.
21. Institutions relevées d'ailleurs par René Prédal in *Le Cinéma français depuis 2000, un renouvellement incessant*, Paris, Armand Colin, coll. «Cinéma», 2008, p. 81.

Freddy se rend régulièrement pour se faire soigner de son épilepsie), la police (le commissariat où Freddy est interrogé), la fanfare (Freddy et ses copains y jouent), l'église (Freddy et sa bande s'y ennuient, assis à l'extérieur, sur les marches), le café (lieu de sociabilité, tenu par la mère de Freddy, où il vit à l'étage avec elle), le supermarché où travaille Marie. Dans *Hadewijch* : l'église (Céline va prier et écoute la répétition d'un quatuor à cordes), le couvent, la prison (où retourne l'homme qui travaillait comme ouvrier dans le couvent, sans doute en réinsertion), la police (elle vient chercher l'homme et à la fin du film interroger Céline), le café (lieu de rencontre de Céline et Yassin), la cité.

Pourtant, ces institutions et la société ne sont pas structurantes. D'ailleurs, le film est généralement resserré autour de trois personnages. Dans *L'humanité*, Pharaon, et plus secondairement Domino et Joseph ; dans *Flandres*, Demester, Barbe et Blondel ; dans *Hadewijch*, Céline, Yassine et Nassir ; dans *La Vie de Jésus*, Freddy, Marie et Kader ; dans *Twentynine Palms*, la société et l'institution sont quasiment absentes en dehors des perceptions sonores (bruits des voitures, du train, des éoliennes), et le film est centré autour d'un homme et d'une femme. Ils sont confrontés à un tiers malgré tout : le désert, comme espace édénique et infernal.

Au milieu de la société, ces personnages restent donc au rebord : ils ne s'y fixent pas mais s'y «muent», décalés, dissonants. Pharaon dans *L'humanité* est lieutenant de police mais il est dans l'imprégnation, dans la sensation : il est en quête de voir là où ça souffre, là où s'exprime la violence et non pas de savoir qui est coupable. Pour témoigner du mal, il s'y enfonce. Dès les premiers plans du film, ce qui dit sa fonction est sa voiture de police, dont la sirène, par la clarté de son signal, l'oblige à se relever des labours qu'il avait parcourus après avoir vu la scène de crime et dans lesquels il est enfoncé. Une voiture qu'il conduit très lentement, sur le bas-côté de la route, après s'y être retranché, bouleversé par le viol de la fillette. Quelques instants après, il est au commissariat et le compte rendu qu'il fait à son supérieur se réduit à une formule lacunaire : « C'est atroce quand même de faire ça. » À la réponse sèche et froide du commissaire, il s'excuse et se retranche dans le couloir où, le visage dans ses mains, il pleure. Pharaon, plutôt que d'interroger les coupables, les sent et s'approche d'eux au plus près. Lorsqu'un dealer est arrêté et qu'il se retrouve avec lui dans le bureau du commissaire, il renifle ses cheveux, sa peau. Lorsque Joseph avoue sa culpabilité, Pharaon l'embrasse sur la bouche.

Dans *Hadewijch*, c'est à l'intérieur du couvent que Céline est reconnue comme dissonante : la mère supérieure dit qu'elle est « une caricature de religieuse », enfermée, « cloîtrée » dans son amour orgueilleux pour le Christ. Céline est dans une croyance littérale et contemplative de l'amour chrétien et elle doit aller dans le monde pour éprouver véritablement sa foi. C'est en sortant du couvent et d'elle-même, en revenant « sur terre » et à la terre, qu'elle sentira vraiment l'amour, en humant l'odeur de l'homme qui est là pourtant, à côté, dès le début. Dans *La Vie de Jésus*, le lieu de sociabilité par excellence, le café Au coin perdu d'Yvette, est le « point de chute » de Freddy – littéralement, d'ailleurs : dès les premiers plans du film, il chute de sa mobylette juste devant. C'est en effet là que Marie rencontre Kader, là où l'archaïsme du racisme primaire s'exaspère, là où Freddy et ses copains sont blâmés par le père de la majorette qu'ils ont violentée, de là où Freddy voit Kader venir chercher Marie et donc de là où il regarde, impuissant, son infidélité. Il ne peut pas être ancré dans ce lieu qui est pourtant celui où il vit avec sa mère. Il y passe, traverse l'espace, le visite même à la fin comme un voleur pour venir chercher sa mobylette, mais il se tient toujours au rebord.

La lutte perpétuelle

La lutte intime de soi à soi, le nœud de la douleur et du désir en soi-même, le déchirement, la dissonance ouvrent aussi au combat des êtres les uns avec les autres : à la lutte perpétuelle. Dans *Flandres*, l'image de la première scène de guerre est l'image d'une lutte au corps à corps entre deux soldats au sein de la même compagnie. L'un deux est un noir, c'est « l'intrus », l'étranger. Mais c'est aussi l'autre et l'autre soi-même : ce corps qui met face à sa propre altérité. La lutte perpétuelle naît de l'altérité et, dans les films de Bruno Dumont, son expression est celle de la rivalité amoureuse. L'homme fixe son désir sur une femme : dans *La Vie de Jésus*, Freddy désire Marie ; dans *Flandres*, Demester désire Barbe. Mais cette vision linéaire du désir tend à des contorsions qui sont celles de l'envie et de la jalousie : Kader désire Marie et Marie le désire aussi ; Blondel désire Barbe et Barbe désire Blondel. René Girard décrit ce mécanisme de désir comme celui d'un «désir mimétique[22]» : celui-ci ne se fixerait pas de façon autonome selon une trajectoire linéaire, mais par imitation du désir d'un autre selon un schéma triangulaire. Ce désir appellerait la violence. Il exproprie, délocalise, expulse l'homme de lui-même.

Dans *La Vie de Jésus*, Freddy est le seul de la bande qui «couche» et qui a «une régulière qui peut tirer comme il veut[23]». Aussi Freddy est-il le chef de bande, le modèle aux yeux de ses copains, Michou, Gégé, Robert et Quiquin. Kader, l'étranger, l'autre, désire Marie et le manifeste. Il devient alors le rival de Freddy. Celui-ci en même temps accroît son désir dans la mesure où il le met en danger par rapport à ses copains, lui disant qu'il «ne va quand même pas se faire piquer sa copine par un bico». «Obstacles et mépris ne font que redoubler le désir parce qu'ils confirment la supériorité du médiateur», le médiateur étant Kader et ses copains. Girard parle de «médiation externe» : le centre de gravité n'est plus en Freddy mais hors de lui, dans le regard des autres. Kader devient alors le bouc émissaire par excellence, celui qui déchaîne la lutte : «Seul l'être qui nous empêche de satisfaire un désir qu'il nous a lui-même suggéré est vraiment objet de haine. Celui qui hait se hait d'abord lui-même en raison de l'admiration secrète que recèle la haine. Afin de cacher aux autres et de se cacher à lui-même cette admiration, il ne veut plus voir qu'un obstacle dans son médiateur[24]. »

Dans *Flandres*, Demester désire plus encore Barbe à travers le désir suscité par Blondel et qu'il veut imiter. Blondel est celui à qui Barbe envoie des lettres sur le front, celui qu'elle attend et dont elle porte l'enfant. Aussi Blondel est-il le rival qu'il faut éliminer, pour redevenir le mâle dominant, pour regagner sa place. La guerre que

22. René Girard, *Mensonge romantique et vérité romanesque*, Paris, Grasset, 1962, p. 83.
23. Bruno Dumont, scénario de *La Vie de Jésus*, *op. cit.*, p. 48.
24. René Girard, *Mensonge romantique et vérité romanesque*, *op. cit.*, p. 204 et p. 24.

mène Demester est aussi cette guerre, excitée par la jalousie, pour la possession de Barbe. Bruno Dumont dit lui-même que « c'est le désir qui fait l'homme et l'homme désire des femmes, des terres, des lieux jusqu'à se battre pour cela ».

L'anéantissement

L'anéantissement dans les films de Bruno Dumont prend des visages multiples qui sont la multiplicité des pulsions traversant de manière continue les personnages : tout ce qu'ils sont, leurs actes, leurs désirs, leurs affects. Ces pulsions sont une décharge de force qui conduit au viol (celui de Joseph, de Freddy et de Demester), à l'attentat de Céline, au meurtre.

La violence est extrême : « La férocité de l'homme à l'endroit de son semblable dépasse tout ce que peuvent les animaux et, à la menace qu'elle jette à la nature entière, les carnassiers eux-mêmes reculent horrifiés[25]. » Le désir appelle la destruction, Éros déchaîne Thanatos. Dans *La Vie de Jésus*, Freddy tue Kader. La quiétude de Kader et du paysage est d'abord perturbée : dans la profondeur de champ, la voiture conduite par Freddy et ses copains s'annonce de derrière alors que Kader roule sur sa mobylette, au milieu d'une route de campagne. La voiture progresse lentement vers Kader qui ne se rend compte de rien. Puis, brutalement, elle accélère, le moteur vrombit comme une bête sauvage et déchire le silence. Kader se retourne, effrayé. La voiture parvient à sa hauteur et le renverse dans le fossé. Freddy l'en sort en le tenant par les cheveux et le laisse à terre, sur la route. Il se tait. Ses copains insultent Kader, puis l'un deux lui donne des coups de pied dans le ventre. Mais la violence de Freddy se déchaîne au moment où Robert lui demande ce qu'il va faire, s'« il va lui briser les couilles… on verra si pourra encore draguer ». Robert renvoie Freddy à son désir et à son rival. Freddy roue alors Kader de coups de pied au visage dans une violence pourtant contenue, sèche, saillante. Puis il le

---

25. Jacques Lacan, *Introduction théorique aux fonctions de la psychanalyse en criminologie*, in *Écrits, op. cit.*, p. 147.

relève et décide de l'attacher à l'arrière de la voiture, sur le coffre. Il remonte avec ses copains dans la voiture et roule : Kader en sang, le corps inerte, le visage pourtant gracieux, se meurt.

Dans *Flandres*, Demester abandonne son ami Blondel parce qu'il est son rival. En l'abandonnant, il l'anéantit : il le condamne à mort. Dans *Twentynine Palms*, « Éros est un dieu assassin[26] » et David tue Katia. Dans la chambre d'hôtel, assis sur le rebord du lit, David est prostré, enfermé dans sa douleur après avoir été violé. Katia sort acheter à manger puis revient dans la chambre. David est enfermé à clé dans la salle de bains. Elle s'assoit comme lui, sur le rebord du lit. Puis par un montage *cut* qui brutalise, David se rue, crâne rasé, sur Katia. Un insert sur sa main levée tenant un couteau semblable à ceux des films *gore* irradie. Le geste de David est répété à douze reprises dans un montage frénétique.

Flandres

Le ventre de Katia est déchiré, son corps ensanglanté et inerte gît sur le lit. La violence est d'autant plus grande qu'elle s'inscrit en contrepoint du vide et de la répétition de quasiment tout le film.

L'anéantissement est une pulsion qui s'exprime et que plus rien ne réprime. Il est ascension vers une chute, montée en puissance vers le chaos. L'homme cru porte en lui la survivance de ces pulsions dionysiaques. Le viscéral et l'obscur sont sa régression, ce qui *re-jaillit*. L'homme se tient donc nu dans ce monde non verbal et sauvage. Or, cette nudité, en même temps qu'elle l'installe dans un espace d'inquiétude et d'instabilité, le renvoie à l'infini. Nietzsche pensait que la

26. Pascal Quignard, *La Nuit sexuelle*, Paris, Flammarion, 2007, p. 89.

sagesse d'Apollon ne pouvait naître et n'être qu'au prix de violences, à l'aiguillon de Dionysos dont le fracas dévastateur pouvait mener au ravissement. Ce ravissement prend pour l'homme dans les films de Bruno Dumont la figure de la grâce, c'est-à-dire une aspiration – une pulsion – à un état de plénitude.

2. L'espace des pulsions de grâce

Le corps n'est pas seulement matière, il est aussi chair spirituelle :
« Nous n'avons pas idée qui ne serait pas doublé d'un corps, qui ne
s'établirait pas sur ce sol […], cet autre côté est vraiment l'autre côté
du corps, déborde en lui, empiète sur lui, est caché en lui et en même
temps, a besoin de lui, se termine en lui, s'ancre en lui. Il y a un corps
de l'esprit et un esprit du corps et un chiasme entre eux[27]. » Les personnages sont l'esprit de leur corps. Leur spiritualité est sensuelle. À
l'animalité bruyante du corps répond une intériorité bruissante. Dans
Hadewijch, la foi véritable de Céline est une foi au monde sensible, une
foi nue. Elle refuse la concupiscence et pourtant elle s'approche des
garçons, elle les touche : elle serre Yassin dans ses bras après l'avoir
invité à manger chez elle avec ses parents ; elle pose son visage sur
sa poitrine lorsqu'elle est chez lui et lui prend la main ; elle l'enlace
lorsqu'ils se baladent en scooter ;
elle salue la première le maçon dans
la cour du couvent. Cette sensualité s'exprime à travers une présence « érotique » au monde. Si son
corps est érotique, c'est parce qu'il
ouvre son esprit aux sens, et c'est
parce que son corps veut s'absenter
que son esprit l'érotise. D'ailleurs,
elle fuit les hommes mais elle les

Hadewijch

attire. Céline est cette femme dont « la sensualité s'émeut dès qu'elle
approche, sans le savoir, d'un désir fixe et secret[28] ». Céline a donc en
elle une infinie et douce capacité d'amour.

---

27. Maurice Merleau-Ponty, *Le Visible et l'Invisible, op. cit.*, p. 313.
28. Georges Bernanos, *La Joie* [1929], Paris, Éditions du Seuil, coll. «Points-roman»,
1983, p. 119.

Dans *L'humanité*, les étreintes physiques en apparence malfaisantes de Pharaon sont celles de son esprit de compassion. Lorsqu'il découvre Joseph dans le commissariat, à la fin du film, et qu'il comprend qu'il est le violeur de la fillette, il met son visage contre le sien puis flaire ses cheveux, sa peau. Il le prend dans ses bras et l'embrasse avidement. Pharaon accueille l'existence nue de cet homme, la condition de son agir et de son pâtir pour le rendre à son humanité. Dans *Flandres*, Barbe est l'esprit d'un corps tout entier livré à l'amour, accueil de l'autre en dedans. Lorsque Demester est à la guerre, c'est l'esprit de son corps qui souffre de son absence, jusqu'au seuil critique, jusqu'à la folie. L'esprit de Barbe s'insère dans les cris de la chair, entre les silences qu'il recueille.

Les personnages, par leur corps, s'incorporent à l'espace du tangible et du visible, ils voient et touchent. Mais ils voient et touchent aussi par l'esprit de leur corps dans les choses. La pénétration de leur être au monde et à l'autre est aussi une pénétration spirituelle. Ainsi, «par tous ses accès sensibles-sensoriels, sentimentaux, sensés, le corps suscite la pensée qui forme l'accès supplémentaire : celui qui ouvre tous les sens à l'infini[29]». Les personnages accèdent par leur spiritualité à cette dimension supplémentaire qui est leur aspiration à un état de plénitude : si Pharaon embrasse avidement Joseph, c'est pour combler le vide dans lequel la découverte de son meurtre l'a plongé ; si Barbe se fait pénétrer par Demester, c'est pour combler le vide de sa souffrance ; Céline donne corps au désir de désincarnation et comble le désir devenu chair. Les personnages sont poussés par des pulsions de grâce.

La contemplation

L'homme est saisi par l'éblouissement de l'explosion sensible. L'homme «aux commencements» fait également l'expérience de cette immersion dans la présence sensible, où la perception survient tout entière, sans être limitée à l'organicité de son corps : son être est

---

29. Jean-Luc Nancy, *L'Adoration, déconstruction du Christianisme 2, op. cit.*, p. 23.

touché, dans une réceptivité totale à ce qui est. Il n'est plus alors un prédateur par sa volonté et son désir, mais il est présence perceptive absolue.

Contempler, c'est se détacher de l'action, « s'immerger dans une manière virginale de voir et d'entendre[30] ». Dans *L'humanité*, un plan très long, cadré sur le cou du commissaire, est le contrechamp d'un regard silencieux et profond de Pharaon. Ce plan signale par sa durée (1 mn 35 s) et sa fixité à quel point le regard de Pharaon décompose ce qu'il voit, un regard vaste qui en même temps touche et sent : la tache sur le col de chemise fait sentir l'odeur de la transpiration, la texture adipeuse de la peau est comme la main de Pharaon qui glisse dans les plis de son cou. Le regard de Pharaon toujours s'attarde, jusqu'à l'imperceptible, dans une durée continue que rend sensible la lumière : descente de la lumière vers la matière – le commissaire est en contre-jour, son cou en plan serré est cerné par un halo de lumière – puis émanation de la matière à partir de la lumière – la texture de la peau ressort et d'infimes gouttes de transpiration deviennent visibles.

En s'attardant, le regard de Pharaon éprouve le langage d'une pose corporelle, comme lorsqu'il fixe l'entrejambe du commissaire dans la voiture ou bien la main de Domino sur son sexe. Il éprouve la puissance de l'expression en regardant intensément l'autoportrait de son grand-père, lorsqu'il est face au tableau, allongé dans son lit : visage dur et sévère d'un homme d'une cinquantaine d'années dont les plis apparaissent comme ceux d'une humanité souffrante. Il contemple les hommes mais également la nature. Là aussi, il la regarde dans ce qu'elle a de plus fugitif, le vent, les feuilles. Lorsqu'il est au bord de la mer, contre le vent, dans le plus vif de l'air, il reçoit au visage cet appel de l'eau. Cette attention pénétrante est rendue par un contre-champ sonore où on n'entend pas le bruit de la houle qui se brise sur le rivage mais sa respiration. Pharaon respire l'écume, il regarde le vent. Si l'homme « aux commencements » saisit le fugitif, c'est parce qu'il est justement par sa contemplation dans un temps suspendu.

---

30. Henri Bergson, *Le Rire. Essai sur la signification du comique* [1899], Paris, PUF, coll. « Quadrige », 2002, p. 115.

L'homme est donc «expansion» de lui-même par cette supra-sensibilité. La contemplation est le débordement de sa présence réelle au monde, «voir [pour lui], c'est par principe voir plus qu'[il] ne voit, c'est accéder à un être de latence[31]». Pharaon peut d'ailleurs regarder les yeux fermés. Son regard est à plusieurs reprises éteint. Loin d'être négation du regard, il s'élargit dans un autre espace, celui de son intériorité. Le regard fermé permet à Pharaon de transformer la sensation saisie physiquement en sensation spirituelle. Son regard contient une volupté qui l'installe dans un état pur. Les yeux fermés de Pharaon sont l'affirmation réservée de la présence dans l'absence. Lorsqu'il penche légèrement sa tête sur l'épaule de Domino, devant l'entrée du fort, il ferme les yeux comme pour retrouver l'émotion pure et intacte dans laquelle la contemplation de la mer l'avait plongé.

Contempler, c'est donc retrouver une proximité avec la nature mais surtout avec soi-même, sans l'inquiétude du corps et du désir. C'est se placer au-delà de toute douleur, là où les rumeurs troubles et violentes de l'existence s'effacent, là où s'apaise le heurt du dissemblable et s'estompe la lacune du manque. Les personnages changent d'«optique» : ils remplacent la vision du monde extérieur par une vision intérieure. L'avidité se fait alors recueillement. La mystique de Pharaon ne s'atteste pas par une vérité contemplée, mais par un effet de retour sur l'existence, et cet effet est un effet de délivrance.

C'est dans cet état contemplatif que se tient une des pulsions de la grâce. Pharaon accède à la grâce par cette autre sensualité : sensualité qui est la jouissance de la seule perception et non plus la jouissance vitale que l'homme partage avec l'animal, autrement dit une jouissance organique. Cette pulsion de grâce rend possible l'état de plénitude : elle suspend et fait qu'il est touché au cœur alors qu'une perception ordinaire laisserait sa sensibilité dans l'atonie. Il voit la profondeur, la mollesse, la dureté, le velouté et il voit aussi «l'odeur et le goût», expression de Cézanne reporté par Gasquet, en regardant le cou du commissaire. La filiation avec son grand-père, le peintre Pharaon De Winter, est contenue peut-être dans cette sensibilité

---

31. Maurice Merleau-Ponty, *L'Œil et l'Esprit* [1964], Paris, Gallimard, coll. «Folio-essais», 1990, p. 29.

propre à l'artiste. Cette filiation est d'ailleurs inscrite délibérément par Dumont dès le début du film par un plan fixe sur la plaque d'une rue : « Pharaon de Winter, 17/11/1849-28/06/1924, artiste peintre ». Ce plan territorialise le personnage : il s'agit de la rue où Pharaon habite. Mais il est aussi le signe d'une déterritorialisation, visible dès le départ à travers la dissonance de Pharaon qui ne réagit pas comme un lieutenant de police, à la fois par sa fuite et son émotivité excessive.

La filiation avec son grand-père est dans cette donation, non pas d'une œuvre, d'un tableau, mais d'une intensité perceptive qui survient tout entière, restant immobile aussi longtemps qu'elle est tournée vers ce qu'il ressent, vers cet instant hors du temps, intensément présent. Tout est pour Pharaon regard, toucher, espaces, lumière et couleurs. Son approche, qu'il s'agisse d'un visage qu'il croise dans sa rue ou d'un rayon de lumière, contient des silences mais bruissant d'expression. Il importe moins à Pharaon de prendre connaissance de l'œuvre de son grand-père que de la vivre sensoriellement et spirituellement. La scène dans le musée en est une manifestation évidente. Pharaon possède un autoportrait de son grand-père. Il le prête au conservateur d'un musée en vue d'une exposition consacrée à Pharaon de Winter. Au moment de l'accrochage du tableau, Pharaon se tient en retrait. Cette position est renforcée par un plan d'ensemble qui perd Pharaon dans l'espace de la salle de musée. Contrit, il attend. À l'inverse du regard du conservateur qui règle en termes techniques l'installation du tableau, indiquant ses dimensions, celui de Pharaon ne trouve pas le point d'accroche mais cherche. Au plan fixe sur le tableau succède alors un lent travelling. Pharaon et le conservateur déambulent en regardant les autres toiles fixées au mur. Le regard du conservateur s'attarde, sans parvenir à suivre le rythme du déplacement, pourtant lent, tandis que celui de Pharaon est détaché. Le regard de Pharaon se détourne même progressivement. Puis Pharaon baisse les yeux. Il marque un temps d'arrêt, relève la tête et voit non pas un tableau mais sa couleur, ce qui en lui fait volume, consistance, matière. La couleur ouvre « le cœur des choses[32] », et d'un filet de voix, fragile, comme au bord de se briser, il dit : « Il est beau ce bleu. »

32. *Ibid.*, p. 67.

Alors que le plan du tableau est un plan large, le plan sur le visage de Pharaon se resserre : il a pénétré ce qu'il avait devant lui. Il s'arrête peu après devant le portrait d'une petite fille assise au pied d'un arbre, sur l'herbe, dans un grand jardin. Un plan fixe et rapproché montre qu'elle tient dans une main le rameau d'un tilleul qu'elle a effeuillé, de l'autre la semelle d'un soulier noir. Elle est vêtue d'une robe blanche nouée de rubans bleus aux épaules et à la taille. Autour d'elle jonchent une ombrelle rouge, un chapeau et des feuilles arrachées. Le cadre se resserre encore autour du visage de l'enfant. Le montage alterné entre le visage de la petite fille en plan fixe et celui de Pharaon induit un échange, comme s'ils se sondaient mutuellement. Pharaon a trouvé son point d'accroche et il ferme les yeux. Le point d'accroche est cette réceptivité totale à la présence et à l'immédiateté de la sensation. Le plan s'élargit à nouveau : Pharaon, tête baissée, les mains derrière le dos, se recueille. Son recueillement est la fin de sa quête, là où la grâce peut entrer.

L'humanité

Le cinéma de Bruno Dumont est un cinéma contemplatif par cette immersion dans le sensible. Il a cette puissance : réveiller en nous le monde inaugural, véritable primat de la perception. La cécité quitte alors le spectateur, qui n'est plus trop près ou à distance des choses qu'il voit mais, comme les personnages, en elles. La dimension contemplative de pareil cinéma découle de cette proximité de la présence, de l'élémentaire, de l'évidence sensible.

Le figement : paroxysme émotionnel

Saisis par l'éblouissement de l'explosion sensible, les personnages s'immobilisent. L'immobilité des corps est le signe de ce qui dépasse les possibilités des capacités sensorimotrices : «Il s'agit de quelque chose de trop puissant, ou de trop injuste, mais parfois aussi de trop beau[33]. » Ce « trop » suspend le mouvement des personnages et leurs sensations se déchargent dans un plan arrêté : le paroxysme émotionnel ne peut s'exprimer que dans l'épuisement du mouvement du corps et dans la fixité de l'image.

Le « trop » de Freddy dans *La Vie de Jésus* le paralyse même. Le paroxysme émotionnel s'exprime à travers sa maladie, l'épilepsie, une affection qui est le symptôme d'une hyperactivité cérébrale paroxystique, agissant par décharges. Les crises de Freddy, même convulsives, figent en effet son mouvement : son corps se raidit, son regard devient fixe. Ce figement est un retrait résultant du point extrême de l'agitation du personnage. Le « trop » de Pharaon dans *L'humanité* est la vision du sexe de la fillette. Cette vision est sidération, et la suspension de son mouvement (sa lenteur extrême comme son immobilité) est le signe de cette ligne qu'il a franchi entre le réel, le pensable et ce qui excède le domaine de ceux-ci. La vision du sexe ensanglanté de la fillette contamine alors le regard de Pharaon qui le fige devant Domino lorsqu'elle soulève son vêtement, dévoile son sexe et l'invite à le caresser. Cette contamination est confirmée par l'insert d'un gros plan sur le sexe de Domino filmé frontalement, sous le même angle de prise de vue que celui de la fillette. Lorsque Pharaon s'arrête longue-

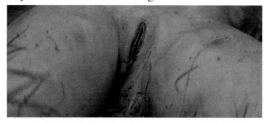
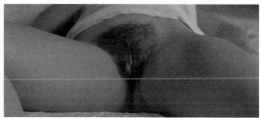

ment devant le tableau représentant la petite fille au musée, il est aussi saisi par ce qu'il voit derrière l'innocence. Il voit la nuit qui s'y cache et l'horreur peut-être qui y sourd. Voir, c'est aussi bien voir autre chose. Mais la suspension motrice est « le moment de tension extrême du mouvement. Cette immobilité n'a de sens, de valeur, de pesanteur qu'en tant qu'attente de la porte qui va s'ouvrir, du mot délivrance qui va jaillir[34] ». Elle est l'imminence d'un

L'humanité

33. Gilles Deleuze, *Cinéma 2. L'Image -mouvement, op. cit.*, p. 7.
34. Edgar Morin, *Le Cinéma ou l'homme imaginaire. Essai d'anthropologie sociologique*, Paris, Les Éditions de Minuit, 1956, p. 135.

mouvement qui, dans les films de Bruno Dumont, est celui d'un élan vers la grâce. Cet élan est un mouvement intérieur. C'est le recueillement de Pharaon qui s'absorbe en lui-même pour se rapprocher de la jeune fille morte et violée dans sa voiture ou au musée. Cet élan est sa lévitation dans la séquence qui suit l'insert sur le sexe de Domino.

Le figement met en mouvement en poussant les personnages vers un état de plénitude. Il les plonge dans l'éternel présent de l'intensité, là où le temps dans l'esprit est «un souvenir présent des choses passées, une attention présente des choses présentes, et une attente présente des choses futures[35]». Ce présent d'intensité les libère du double blocage du regret et du projet : «L'absolu gît dans la plénitude d'une seconde où l'intensité vaut éternité[36]. »Dans *Hadewijch*, Céline fait cette expérience lorsqu'elle vient s'abriter sous la verrière, dans le jardin. La suspension du temps est tout d'abord signalée au plan sonore. Le bruit de la pluie s'arrête brusquement et la musique est tenue par un point d'orgue. Céline reste silencieuse. Son corps est transi, non plus parce qu'il ressent le froid ou la pluie comme dans le plan précédent, mais parce qu'il est la pure résonance d'une sensation impalpable : se déplie en lui le temps pur et suspendu. Le figement de Céline ouvre à cette expérience confondant en un point miraculeux le temps et l'instant. Cette temporalité est d'ailleurs rendue par l'étirement du plan qui est l'expression même de l'intensité affective. La durée du plan fonctionne comme un point focal de suspension. Parce que Céline est portée à cette pure sensation d'être, la grâce *peut* la toucher. L'éternité dans l'instant est cette expérience dans l'absolu *hic et nunc*.

---

35. Saint Augustin, *La Création du monde et le temps. Livre XI, extrait des Confessions*, traduit du latin par Arnauld d'Andilly, Paris, Gallimard, coll. «Folioplus Philsophie», 2007, p. 45.
36. Yves Bonnefoy, *Entretiens sur la poésie, 1972-1990*, Paris, Mercure de France, 1990, p. 124.

L'absorption

Cette réceptivité dans la perception, à travers la contemplation des personnages et le paroxysme émotionnel qu'elle entraîne, multiplie les synesthésies, l'immanence de toutes les possibilités de la vue, de l'odorat, de l'audition, du toucher. Le corps devient alors un « moi-peau[37] » qui absorbe toutes les sensations : le corps s'avère poreux, et toute distinction entre le dedans et le dehors, l'intérieur et l'extérieur s'estompent. Le dehors va refluer dans le corps des personnages et ce reflux ouvre leur esprit.

Dans la dernière séquence d'*Hadewijch*, Céline est au milieu du verger, dans le couvent. Transie, elle pleure. Elle se fait surprendre par la pluie. La pluie, perçue par la peau et les muqueuses, est le pre-mier élément du ressenti originel du contact entre le dedans et le dehors, la chair et l'esprit, le moi et l'autre. L'eau renvoie à la corporéité : dans la phénoménologie, qui affirme le pri-mat de la perception, l'eau est chair. Ses larmes sont dissoutes dans les gouttes de pluie. Chaque goutte de

Hadewijch

pluie éclate, à travers une sonorité très sèche, pour exploser comme un cri qui se tient au bord de ses lèvres. Aussi Céline est-elle, par son corps, rendue à sa nature ruisselante, traversée, sensible. Elle court et les bruits de ses pas ont une sonorité spongieuse qui signifie à nouveau l'absorption : sa sensibilité est perméable à sa spiritualité. Elle se réfu-gie alors sous la verrière. Cet espace est lui-même poreux : par trans-parence, le dehors pénètre le dedans ; c'est un lieu couvert *et* ouvert sur le verger. Alors que Céline n'est plus à l'extérieur, elle semble plus proche des éléments naturels : la végétation est luxuriante et renvoie l'éclat de sa lumière à la surface du corps de Céline. La pénétration de la lumière est d'une acuité qui, sans distendre ni défaire la matière de son corps, lui donne une teinte, une émotion. Céline n'est plus sous la

---

37. Expression de Didier Anzieu, *Le Moi-peau*, Paris, Dunod, 1985.

pluie mais elle est inondée, submergée par cette expérience d'unité. Elle s'éprouve avec le tout. Devant elle, «ni parties, ni éléments, ni dimensions : l'exposition de ce qui existe à la touche du sens qui ouvre l'infini d'un dehors[38]». Elle est ramenée à son corps qui ouvre son esprit aux sens.

Cette porosité pousse Céline à un état de plénitude, là où elle cesse de désirer quoi que ce soit d'autre que ce qui est. Et si dans cette scène, elle est figée, c'est parce qu'elle est ouverte à cette émotion pure et pleine. La chair vivifie son esprit. Son «moi peau» est ce mouvement qui la met en contact avec elle-même, là où le corps dont elle voulait s'absenter retrouve sa fonction d'enveloppe contenante et unifiante du soi, une enveloppe qui n'est plus percée des trous noirs de la chute et de l'anéantissement.

Le retour de l'esprit d'enfance

Si l'homme «aux commencements» se livre tout entier à l'horreur par son animalité, il se livre de la même façon à l'émerveillement. Cette aspiration à l'émerveillement, et donc à un état de plénitude, est liée au fait qu'il entre en relation sans *a priori*, sans culture, mais par les sens, avec le monde qui l'entoure. Sa régression est aussi cette régression première, le retour de l'esprit d'enfance. Tous les personnages de Bruno Dumont sont ainsi reliés à l'enfance par leur parole, par leur corps et par leur situation sociale. S'ils se taisent, c'est aussi pour exhumer la voix perdue de la mue : leur silence est comme un reflux vers le stade de la vie intra-utérine où le fœtus entend la voix de sa mère avant de pouvoir produire des sons articulés. Comme l'enfant, il importe plus à Freddy ou à Demester de se faire entendre que de signifier. Tous les personnages, à l'exception de Pharaon, sont identifiés par leur prénom, et non par leur nom de famille. Ils vivent tous encore sous le toit de leurs parents. Pharaon est adulte mais il vit avec sa mère. Ses relations avec elle sont celles d'un adolescent : elle lui prépare son bol de café le matin, il a son orgue électronique

---

38. Jean-Luc Nancy, *L'Adoration, déconstruction du Christianisme* 2, *op. cit.*, p. 56.

dans le salon, elle le met en garde concernant Domino. Ses attitudes ont l'innocence de l'enfant. Lorsque Domino vient lui demander pardon après lui avoir reproché de l'avoir regardé faire l'amour avec Joseph, il lève les deux poings comme s'il avait remporté une victoire. Freddy, pour sa part, vit avec sa mère. C'est un adolescent entouré de sa bande de copains qui préfèrent les virées en mobylette à la recherche d'un travail. Le décor de sa chambre est caractéristique de l'adolescence : posters de voitures et de motos accrochés au mur, désordre. Le rapport qu'il a avec son pinson est le même rapport qu'un enfant peut avoir avec un « fétiche ». Céline, de son côté, est une adolescente partie de l'appartement familial pour le couvent. La relation qu'elle entretient avec le Christ est la relation que rêve souvent l'adolescente : platonique, idéale, le Christ étant l'amant parfait parce qu'il est absent. Son corps d'ailleurs n'est pas encore formé et sa nudité révèle une fragilité et une certaine innocence qui ignore ses puissances érotiques.

Si l'homme contemple, c'est aussi parce que « contempler, c'est revenir à un regard innocent[39] ». Le regard de Pharaon dans *L'humanité*, de Céline dans *Hadewijch* et de Freddy dans *La Vie de Jésus* contient une profondeur d'expression naïve, comme celle d'un enfant surpris au milieu des larmes ou d'un sourire. Étymologiquement, un être naïf est un être naturel au sens d'originel. Mais la naïveté d'expression des personnages renvoie également à leur simplicité : une simplicité physique, une beauté sans apprêts, autant qu'une certaine humilité d'esprit. Les personnages sont dans un contact immédiat au monde. Céline accepte sans aucune hésitation l'invitation de Yassin à boire un café avec lui. Elle répond naturellement à ses questions pourtant intimes pour une première rencontre, elle dit oui à sa proposition d'aller le soir même à un concert. Yassin tente de l'embrasser lors du concert sur les bords de la Seine et pourtant elle l'invite le lendemain à manger chez elle. Céline est dans une confiance spontanée, dans ses rapports aux autres comme dans ses déplacements. Elle erre seule, légèrement vêtue au milieu de la cité, espace qui lui est pourtant totalement étranger ; elle accepte de monter sur le scooter que

---

39. Henri Bergson, *Le Rire*, *op. cit.*, p. 78.

Yassin a volé, sans casque, se faisant même poursuivre par une voiture de police, évitant de justesse un accident. Dans *L'humanité*, c'est à travers sa simplicité que Pharaon n'exige rien mais compatit, c'est dans la lumière de sa confiance que l'abjection se dissipe.

L'enfant, c'est aussi celui qui ne connaît pas de partage clair et distinct entre le réel et l'irréel, entre le possible et l'impossible. Aussi dépasse-t-il les contradictions et les contraires. Plus riche de désirs que de savoir, l'enfant a cette énergie qui est l'ultime subversion : l'espérance. Pharaon espère une humanité moins abjecte, Barbe espère l'amour de Demester, et Freddy celui de Marie, Céline espère le pur amour, le corps du Christ. L'espérance est «la source de la vie, car elle est celle qui constamment déshabitue. Elle est le germe de toute naissance spirituelle. Elle est la source et le jaillissement de la grâce, car elle est celle qui constamment dévêt de ce revêtement mortel de l'habitude… C'est elle qui est chargée de recommencer, comme l'habitude est chargée de finir les êtres[40]». L'enfance contient «ce principe de vie profonde, de vie toujours accordée aux possibilités de recommencement[41]».

L'esprit d'enfance des personnages les pousse en définitive à la grâce, une grâce qui est un possible d'émerveillement.

---

40. Charles Péguy, *Œuvres en prose, 1909-1914*, Paris, *Nrf*-Gallimard, coll. «Bibliothèque de la Pléiade», 1987, p. 1401.
41. Georges Bernanos, *La Joie*, *op. cit.*, p. 19.

III. L'ÉVEIL

Par son animalité, l'homme, être «hybride» plongé dans l'*hybris*, est confronté au vide. La démesure, l'anéantissement, la lutte perpétuelle et sa dissonance l'installent hors de tout cadre social là où les rapports à l'autre vont être des rapports de violence. Mis à nu, il est projeté hors de lui-même par la souffrance, l'abjection et la mort. L'homme est porté à sa dissolution.

Mais de cette expérience du néant, de ses ténèbres et de ses nuits, du plus profond de cet abîme ouvert sur lui-même s'élance ce qu'il peut être au-delà. Consentir à n'être rien, c'est aussi pour cet homme être à sa place dans le tout. Extatique, il goûte, dans le temps suspendu d'un spasme, dans la durée de sa contemplation, au pur délice de l'abandon qui lui permet de penser son être dans un néant – qui est pourtant un espace de plénitude.

L'homme, à travers ses pulsions d'animalité et de grâce, est donc transporté hors de lui. Il fait l'expérience du vide et de la plénitude, de la pesanteur et de l'envol. Ce dehors ouvre l'homme. Cette ouverture est une déchirure dans l'horreur. Elle est aussi une extase : le sentiment d'atteindre l'être des choses et la vérité, la disparition de la présence du temps dans la conscience, la dissipation du doute, de la dualité et du désir d'action. Ce dehors qui s'ouvre en lui le ramène au-dedans : à ce qui en lui est souterrain, à ce qui se cache et à ce qui est invisible, ineffable. L'homme, alors, s'éveille et prend conscience de ce qu'il est. Il prend conscience de son inachèvement et de son humanité.

1. L'EXTASE

L'expérience du vide : l'exil

Par son animalité, l'homme fait l'expérience du vide : le vide au sens d'un manque, le vide comme expérience du néant. Cette expérience est un exil. Elle l'exile de son corps comme elle l'exile de l'espace. L'un des synonymes de l'exil est la disgrâce : l'exil va être ce qui disjoint l'esprit de son corps, son corps de l'espace, son corps de l'autre, ce qui va empêcher l'unité, la plénitude.

Au fond des instincts, les personnages de Bruno Dumont sont sans construction psychique – même Céline dans *Hadewijch* est sans construction mystique puisqu'elle n'est qu'« une caricature de religieuse ». Les pieds dans la boue, plantés dans une géographie morne, ordinaire et glauque (les Flandres, à l'exception de *Twentynine Palms*), ils sont absorbés dans un quotidien farouchement terre à terre, réduit

L'humanité

à la satisfaction des besoins les plus élémentaires : manger, copuler, dormir. Leur vie s'écoule en un flux monotone que la longueur et la fixité des plans font ressentir. La caméra reste souvent immobile sur les personnages adossés au mur ou sur le seuil de leur maison, comme dans *L'humanité ou La Vie de Jésus*, attendant que le temps passe, attendant désespérément comme Céline que le Christ se manifeste. La rue, le trottoir sont des lieux de passage où passent les êtres autant que les lieux d'une temporalité singulière où le temps passe. La durée est alors ce qui fait basculer dans cette autre réalité : une réalité qui expose le personnage au vide.

L'espace n'est pas seulement vide parce qu'il est morne et ordinaire mais parce qu'il est un espace déréalisé : un hors cadre, le lieu de l'exil intérieur et celui des errances des personnages. Les repères géographiques sont totalement brouillés : Demester est à la guerre mais on ne sait pas où, Céline part au Moyen-Orient mais aucune indication ne dit où elle se trouve exactement, Freddy et ses copains font une virée en voiture à Dunkerque et on n'en voit qu'une plage désertée, Bailleul est vidé de ses habitants. Les paysages sont « sortis de [leurs] propres coordonnés comme de [leurs] rapports métriques », l'espace a perdu son homogénéité, c'est-à-dire « la connexion de ses propres parties[1] ». Les personnages sont le plus souvent cadrés au centre des plans mais le morcellement des lieux les décentre. Le montage renforce ce décalage des personnages dans l'espace. Les ellipses laissent des béances dans la narration et, même si les scènes se succèdent de façon chronologique, elles donnent l'impression de sauts dans l'espace où les personnages ne sont pas attachés mais projetés. Dans *Hadewijch*, Céline passe d'un lieu à un autre sans continuité et, entre les espaces successifs qu'elle traverse, il y a une hétérogénéité radicale. Au début du film, elle est à l'intérieur du couvent. Les mères supérieures la renvoient et ce renvoi est raccordé après une ellipse à un plan de Céline dans une voiture, à côté de son père. L'espace est conçu comme des blocs hétérogènes au sein desquels Céline conserve une altérité. Cet exil des lieux qu'elle habite, c'est aussi son exil intérieur. Céline est séparée du corps du Christ et le saut d'un lieu à un autre, du couvent à son appartement, de l'île Saint-Louis à la banlieue où vit Yassine souligne cette séparation. Le couvent est lui-même fragmenté, elle y erre entre l'intérieur et l'extérieur, de la chapelle au verger, des pâtures au sous-bois. Dans *Twentynine Palms*, David et Katia errent aussi à travers le désert. Leur exil dans l'espace, plus qu'il ne se voit, s'entend par un son sourd hors champ très prégnant. L'impossibilité d'inscrire de façon précise les coordonnées spatiales de cette source sonore induit la perte des repères des deux personnages.

C'est d'ailleurs ce qui fait que le cinéma de Bruno Dumont n'est pas un cinéma social et/ou documentaire : il essaie plutôt de se situer

---

1. Gilles Deleuze, *Cinéma 1. L'image-mouvement, op. cit.*, p. 155.

«sur le plan de l'énigme de notre condition humaine[2]». Aussi filme-t-il en regardant «dans ce qui arrive[3]», là où l'image réserve la place d'une crise, là où la cendre n'a encore pas refroidi. Il filme ce qui est *sous terrain*.

Les personnages sont aussi exilés car, au fond des instincts, ils se tiennent dans un en deçà : un hors cadre social, un monde originaire. L'un des premiers plans de *Flandres* est exemplaire : insert sur les chaussures de Demester enfoncées dans une terre grasse et boueuse, son *in* accentué des bruits de ses pas et son hors champ du premier mot de Demester : «Merde.» Dès le début, Demester est au fond originaire et à cette régression. Bruno Dumont place l'homme au plus proche de la nature pour le placer dans sa nature instinctuelle. Il n'y a d'ailleurs aucune trace de socialisation des personnages par la culture, à l'exception de la télévision. Dans tous les films, les personnages y sont confrontés. Dans *La Vie de Jésus*, la télévision est en permanence allumée : la mère de Freddy la regarde dans son bar. L'écran de télévision est, pour Yvette, l'écran du réel devant lequel elle peut s'indigner du malheur des Africains qui meurent de faim comme de ce que dit la présentatrice de la météo, ou se réjouir devant la retransmission du tour de France ou d'un jeu télévisé. C'est de là où elle pense voir le monde extérieur, elle qui ne sort jamais – le seul endroit où elle est dehors est lorsqu'elle se tient sur le seuil de la porte de son bar –, et éprouver à distance ce qu'il est.

Dans *Twentynine Palms*, David et Katia regardent la télévision dans leur chambre d'hôtel : la première fois, ils se retrouvent devant des images qu'ils ne comprennent pas (flashes d'un appareil photo la nuit qui inondent l'écran) et David dit que «c'est de l'art». La deuxième fois, ils regardent une émission où une femme témoigne d'avoir été victime d'inceste. Katia demande alors à David s'il pourrait être incestueux. La référence à Levi-Strauss est implicite : le passage de la nature à la culture est selon lui dans l'apparition d'une règle, à laquelle toutes les règles sociales se réfèrent : celle de la prohibition de l'inceste. Sans elle, l'humanité sombre dans sa destruction. Or, le

---

2. Propos de Bruno Dumont recueillis par Christophe Régin et Samir Ardjoum, sur *www.fluctuat.net*, 27 octobre 1999.
3. Gilles Deleuze, *Cinema 1. L'image-mouvement*, *op. cit.*, p. 283.

sujet est traité par la télévision sous la forme d'un talk-show et David répond « peut-être » à la question de Katia. Dans *Hadewijch*, l'ouvrier du couvent, après être sorti de prison, est avec sa mère autour de la table. En arrière-plan, la télévision est allumée et le commentaire entendu indique qu'il s'agit du journal télévisé développant une information sur l'arrestation d'un criminel. Au fond sonore de la télévision répond un gros plan assez long des mains de la mère serrant celles de son fils, et on entend hors champ : « Ça va aller, t'es ni le premier, ni le dernier… et puis t'as pas tué. » La télévision, si elle est la seule trace de rapports socialisés, représente dans le cinéma de Bruno Dumont une fiction du réel : la télévision présente un faux-semblant de la réalité et dissimule la vérité des êtres.

Le réel, c'est l'en deçà. Dans cet en deçà, ce qui « structure » les personnages est la violence. L'homme asocial écarte toutes les barrières à ses désirs, il aime à jouir de ses emportements sans retenue, il libère son agressivité et sa haine. Le plus fort s'impose sur le plus faible. Les rapports à l'autre sont brutaux et s'établissent dans une barbarie nue. Cet en deçà, c'est l'originaire et « c'est le corps lui-même indépendamment de son âme, très en amont de son âme qui cherche sa source » et « qui est voué à l'originaire[4] ».

La sexualité est l'expression la plus manifeste de la régression des personnages : « La scène originaire va jusqu'au coït qui [les] fait. » La sexualité est une pulsion de vie mais qui les place aussi dans la violence. Elle est cet endroit intenable, impossibilité immonde, obscène. La sexualité est ce qui parle une animalité qui lacère, divise et crée le mal-être : une déchirure. Cette déchirure les sort d'eux-mêmes en révélant qu'ils ne sont pas une identité pleine, totale et stable. Les sexes se joignent dans une pulsion sauvage, comme si la violence seule était capable d'ouvrir l'autre : écouter « à l'orifice, à la fente » place l'homme dans son animalité. La relation est abrupte, sans préambule. Aucune marque d'affection n'est perceptible, les corps comme les gestes sont dénués et dénudés de tout érotisme. La nudité n'est jamais volontaire ou consentie, à l'exception de *Twentynine Palms* : seul le sexe se dévoile, la fente comme le fond originaire dans lequel l'homme

4. Pascal Quignard, *La Nuit sexuelle*, *op. cit.*, p. 25, et p. 23 pour la citation qui suit.

s'enfonce, le reste étant matière presque inerte. Cette nudité refusée, parce qu'elle est déjà donnée, renvoie à l'absence d'érotisme : « Toute la mise en œuvre érotique a pour principe une destruction de la structure de l'être fermé qu'est à l'état normal un partenaire de jeu [...]. L'action décisive est la mise à nu. La nudité s'oppose à l'état fermé. C'est un état de communication, qui révèle la quête d'une continuité possible de l'être au-delà du repli de soi[5]. »

Le coït entre l'homme et la femme reste, dans tous les films à l'exception d'*Hadewijch*, une étreinte acharnée, loin de toute tendresse et de tout partage. Les amants s'accouplent sauvagement jusqu'à leur jouissance respective, n'étant plus comme Joseph et Domino ou David et Katia que deux corps échoués, disjoints. Des pores de la peau suinte cette animalité, et l'affleurement des épidermes est une caresse qui fait crier. Les hommes halètent et rugissent comme des animaux en rut, les femmes crient et pleurent. Ils s'accouplent le plus souvent dans des lieux minéraux ou végétaux : Barbe et Demester s'étreignent dans les sous-bois, le fermier copule avec Barbe dans l'étable, Freddy et Marie se retrouvent dans une prairie, David et Katia font l'amour dans le désert, contre des rochers. Le coït est toujours rapide, sans avant et sans après, comme pour mieux témoigner de l'impossibilité à fusionner, de la condamnation à la discontinuité. Dans *L'humanité*, « Joseph et Domino baisent sans partage, avec amour, dans la joie et la brûlure de leurs membres mais jamais ils ne se gagnent et parviennent à accomplir la fonte. D'instincts, nos êtres animaux perpétuent nos exils[6] ». L'homme primitif n'est pas un être cultivé, il se tient dans l'en deçà. Cette position au fond originaire, c'est aussi celle d'une vérité première qui n'appelle aucune illusion : l'homme est seul et il se sait rivé à son individualité.

L'absence d'érotisme est cette acceptation que « chaque être est distinct de tous les autres... lui seul naît, lui seul meurt. Entre un être et un autre, il y a un abîme, il y a une discontinuité [...], nous sommes des êtres discontinus, individus mourant isolément [...]. Nous supportons mal la situation qui nous rive à l'individualité de hasard, à

---

5. Georges Bataille, *L'Érotisme*, Paris, Les Éditions de Minuit, 1957, p. 24.
6. Bruno Dumont, note d'intention de *L'humanité, op. cit.*

l'individualité périssable que nous sommes[7]. » Cette discontinuité renvoie d'ailleurs à la dissonance. Le corps, dans les scènes de coït, n'est jamais privé de visage : le visage renvoie à l'altérité indépassable. Le cadrage serré sur le visage de Katia, dans *Twentynine Palms*, après qu'elle a fait, à genoux, une fellation à David, montre un visage fermé, sans présence offerte, nu, impénétrable. Dans *La Vie de Jésus*, un plan large montre Marie et Freddy qui s'arrêtent dans un champ pour faire l'amour. Debout, Freddy retire son pantalon, Marie son tee-shirt et sa jupe. Le plan suivant est un gros plan sur le sexe de Freddy pénétrant Marie. Le montage *cut* brutalise, accentuant la bestialité et la rapidité du rapport sexuel sans aucun préliminaire. Mais il s'agit d'un plan subjectif : le spectateur est dans le regard de Marie. Là encore, le corps n'est pas laissé sans visage, et Marie voit le rapport comme un rapport très violent.

Si la sexualité est brute et sauvage, c'est qu'elle est l'expression lacunaire d'un désir de continuité avec l'autre, l'expression inachevée d'une communication avec l'autre : persiste le mal à établir un lien affectif, le mal-être de l'homme premier. Bruno Dumont dit « tourne[r] la sexualité comme ça [...] pour y trouver l'expression, en retirant toutes les couches, pour prendre la couche primitive[8] ». La sexualité est avant tout la réponse à un besoin, comme celui de se nourrir, et c'est aussi en cela qu'elle révèle l'animalité de l'homme primitif. Dans *Twentynine Palms*, David mange après avoir fait l'amour avec Katia : Bruno Dumont hypertrophie sa mastication et crée le même bruit que dans le plan précédent, résonant comme en écho, où son sexe s'enfonçait dans celui de Katia. Du corps on peut en tirer du plaisir et aussi, de façon indifférenciée, de l'horreur.

L'animâlité

Si la sexualité révèle la part d'animalité de l'homme, dans ce qu'elle a de bestial et de brutal, elle dévoile aussi son animâlité : elle exprime

---

7. Georges Bataille, *L'Érotisme, op. cit.*, pp. 19-21.
8. Matthieu Darras, «Le cinéma est pour le corps, pour les émotions. Entretien avec Bruno Dumont», *op. cit.*, p. 37.

la possible domination de l'homme sur la femme. Cette animalité est figurée dans le cinéma de Bruno Dumont par le viol. Dans tous les films, à l'exception d'*Hadewijch*, surgit cette forme de violence. Dans *La Vie de Jésus*, Freddy et ses copains violentent une majorette par leurs attouchements sexuels ; dans *L'Humanité*, Joseph viole une fillette ; dans *Twentynine Palms*, David est violé par un homme ; dans *Flandres*, Demester viole une prisonnière de guerre. À travers la sexualité des personnages sourd déjà cette violence : l'orgasme semble toujours douloureux – Katia pleure après chaque coït, Marie dit à Freddy qu'elle « a eu mal » –, la jouissance déforme les visages féminins et la pénétration ressemble davantage à une agression. Les membres se libèrent faisant apparaître le corps non plus comme un état de fait mais comme un état de guerre.

Twentynine Palms

Dans *Twentynine Palms*, David est l'amant de Katia autant que son prédateur. Il est dans le cadre toujours derrière elle – à l'exception du premier plan où il conduit la voiture, Katia dormant à l'arrière, le visage exsangue figurant le sommeil d'une morte. David traque Katia comme un animal sa proie : cette pulsion prédatrice est la manifestation de l'animal qui revient dans l'homme, le ramène à la pure violence de l'avidité. Trois scènes sont, en ce sens, exemplaires. La première est celle où David et Katia sont dans la piscine de leur motel. David s'approche de Katia en nageant très lentement vers elle alors qu'elle n'est plus qu'un corps flottant à la surface de l'eau. Le plan serré sur la nuque de David, dont la respiration très nette ramène à la crudité de son manque, inquiète. Il saisit alors Katia brutalement et l'étreinte est une lutte. David force Katia. L'effraction du sexe de

Katia est l'assouvissement de la pulsion de David. La deuxième scène se déroule toujours dans la piscine, au même endroit. Katia nage près du bord et David, venant toujours par derrière, la ramène au milieu du bassin. Il lui enfonce la tête sous l'eau à deux reprises pour l'obliger à lui faire une fellation. Le prédateur immobilise sa proie : il la serre puis l'asphyxie. La troisième scène est celle où Katia est sortie dans la nuit, après une dispute avec David. Katia erre le long de la route. David, accroupi derrière un taillis, dans l'obscurité, la guette. Katia sent sa présence, rendue par un bourdonnement sourd, elle se sait traquée. Il bondit sur elle bord cadre. Katia se débat puis court au milieu de la route. David la poursuit, la frappe et la plaque au sol. Leur lutte rejoue leur étreinte dans la chambre d'hôtel, montrée dans la séquence précédente : les cris de David ont la même tonalité que les râles de sa jouissance.

La première expression du rapport de domination de l'homme sur la femme est la violence. Ce pouvoir de l'homme sur la femme s'enracine et se fonde sur un acte originel : la prise du corps de la femme par le corps de l'homme. Il y a donc un avant, un hors cadre social de la domination, et c'est de cet « angle mort » primitif que Bruno Dumont, qui veut être « amoral, sauvage, barbare » et « retourner à la matière première[9] », inscrit toute violence exercée par le corps de l'homme sur le corps de la femme.

L'animalité de l'homme se révèle à travers le corps de la femme, confirmant peut-être l'idée de Georg Simmel[10] selon laquelle le rapport de l'homme au sexe est centrifuge, c'est-à-dire que l'homme ne se définit qu'en sortant de lui, en s'objectivant et ne s'affirme sexué que dans son rapport à la femme. Une femme est une femme en soi, un homme est un homme dans son rapport sexuel à la femme. Le rapport proprement sexuel fait donc problème : s'il existe deux registres sexués hétérogènes, deux modes de rapport à la sexuation, l'harmonisation est pour le moins difficile, sinon impossible à moins que l'un ne s'aliène à l'autre. Il y aurait un caractère tragique du rapport des

9. Matthieu Darras, « Le cinéma est pour le corps, pour les émotions. Entretien avec Bruno Dumont », *op. cit.*, p. 38.
10. Georg Simmel, *Philosophie de la modernité*, traduit de l'allemand par Jean-Louis Vieillard-Baron, Paris, Payot, coll. « Critique de la politique », 1989, p. 70.

sexes qui pourrait préfigurer ce que Lacan affirme dans le séminaire *Encore* : « il n'y a pas de rapport sexuel. » Bruno Dumont dit lui-même : « Quand je vois des corps, comme ça, exposés, je trouve ça tragique : le mélange entre cet espèce d'amour infini et cette impossibilité de fusionner. Il y a une impuissance à pénétrer l'autre. L'amour, c'est la fusion mais on ne peut pas fusionner. Il y a quelque chose de tragique dans le sexe qui révèle l'immense solitude dans laquelle nous nous trouvons[11]. »

L'animalité ouvre donc au « droit » du mâle qui est une violence sexuelle dans sa dimension la plus terrible : le viol. Un viol comme la face torrentielle d'une animâlité que rien ne semble pouvoir arrêter ou brider : la police reste impuissante ou n'est même pas convoquée, même la Loi du père ne peut pas vraiment la condamner. Dans *La Vie de Jésus*, c'est à l'intérieur du café d'Yvette, en présence de leurs parents, que Freddy et ses copains sont blâmés par le père de la majorette violentée, et dont les mots sont quasiment inaudibles, à la limite du grotesque. Des mots qui font lever les sourcils des garçons, qui se sourient par en dessous, haussant les épaules en entendant le mot « viol ». Aucune sanction pénale n'est prise. Après la réprimande, les garçons sortent du café, tête basse, mais redémarrent leurs mobylettes, poussent le régime à fond, n'ayant aucun remords, aucune conscience de la gravité de leur acte parce que « tu vas pas aux flics pour ça » et la majorette, « qu'est-ce qu'elle avait besoin de causer là-dessus » ? Freddy est seulement puni par sa mère : il a interdiction de sortie. La mère a honte mais elle le lui dit, plongée dans un bain, à travers la cloison et la porte. Lorsque, dans *Flandres*, Demester et ses compagnons d'armes violent la jeune femme, prisonnière de guerre, celle-ci désigne comme coupable le seul homme qui l'a épargnée, et c'est lui qui sera émasculé à la place des autres. Le bouc émissaire, la victime sacrificielle est l'innocent, le plus éloigné de cette animalité.

L'asymétrie organique opposant pénétrant à pénétré est à la source de cette domination masculine : la femme est un réceptacle autant qu'un exutoire. L'effraction de son corps fraye un passage au déchaînement des pulsions et des instincts les plus archaïques, les

---

11. Bruno Dumont, note d'intention de *L'humanité, op. cit.*

plus souterrains de l'homme. La peau des femmes est d'ailleurs très blanche, presque exsangue, lisse, tandis que celle des hommes est plus terreuse, adipeuse. Cela renvoie peut-être à ces «humeurs» du corps opposant le masculin et le féminin : le froid et l'inerte au féminin, le chaud et l'animé à l'homme; la matière morte, inanimée au féminin, le souffle au masculin : «alphabet» symbolique utilisé par Aristote[12] et qui lui permet de définir le sperme de l'homme comme pur «*pneuma*», souffle et puissance, contenant le principe de la forme tandis que la femme n'est qu'un réceptacle.

Le viol est le moyen pour l'homme de marquer son territoire. Le corps de la femme que viole Demester à la guerre est le territoire ennemi, jugulé, terrassé, mis à sac. Il est le lieu où se satisfait ce droit du mâle, ce droit du plus fort, où s'exercent l'infamie et l'orgueil de l'humiliation de l'ennemi. Dans *Twentynine Palms*, c'est l'homme (David) qui se fait violer, et sous le regard de Katia. David perd aux yeux de la femme sa virilité et son territoire. Par le viol, David est passé du côté du féminin, du passif, car «les usages publics et actifs de la partie haute, masculine, du corps (faire front, affronter, faire face, regarder au visage, dans les yeux) sont le monopole des hommes[13]». Le rapport sexuel apparaissant comme un rapport de domination, parce que construit à partir de la division fondamentale entre masculin actif et féminin passif, la pire humiliation pour l'homme consiste à être transformé en femme : condamné à la passivité et à ce renversement, David tue Katia en lui déchirant le ventre à coups de couteaux.

L'effroi

La sexualité est ce qui ouvre les personnages au mal : elle place l'homme au rebord de l'effroi, cet «effroi dans l'âme qui correspond à la chose nue qui surgit dans l'ombre[14]». À l'origine, dans tous

---

12. Aristote, *Traité de la génération des animaux*, traduit du grec par Pierre Louis, Paris, Les Belles Lettres, 1961.
13. Pierre Bourdieu, *La Domination masculine* [1998], Paris, Éditions du Seuil, coll. «Points-essais», 2002, p. 67.
14. Pascal Quignard, *Le Sexe et l'Effroi*, *op. cit.*, p. 155.

les films de Dumont, il y a le mal. L'humanité fait pénétrer au fond du mal. La découverte du corps mort d'une fillette dans un fossé est cette «origine du monde» renversée comme l'a remarqué Luc Vanchéri[15]. Le gros plan du sexe sanglant de la fillette ressemble, en effet, davantage au tableau de Duchamp qu'à celui de Courbet. La fente exsangue d'un sexe surgit en gros plan par un montage *cut* qui brutalise, et il est exposé par sa durée. Cette durée est celle de l'effroi qui fige le regard et déchire. L'effroi, c'est celui de Pharaon qu'on sait présent sur cette scène de crime par le bruit hors champ du moteur de sa voiture. «Nous sommes venus d'une scène où nous n'étions pas. L'homme est celui à qui une image manque[16].» Pharaon est exposé à cette image dans sa dimension monstrueuse : le sexe n'est pas érigé mais mort, souillé. La déchirure du sexe ne peut plus que renvoyer à un corps fragmenté. Une succession de plans moyens exposent une cuisse sur laquelle court une fourmi, puis une jambe écartelée, enfin le corps

Marcel Duchamp, Étant donnés : 1. la chute d'eau / 2. le gaz d'éclairage (1946/1966)

L'humanité

tout entier, mais sans visage : un corps livré «en pâture», enfoncé dans l'herbe, retourné à la terre. Un corps morcelé comme le signe de la déchirure à la surface pleine du monde. Au corps fragmenté

15. Luc Vanchéri, *Cinéma et peinture. Passages, partages, présences*, Paris, Armand Colin, coll. «Cinéma», 2007.
16. Pascal Quignard, *Le Sexe et l'Effroi, op. cit.*, p. 155.

répond la fragmentation du récit lui-même. La linéarité est brisée, défaite par la béance du sexe :

— Le premier plan du film est un plan large où Pharaon, minuscule, court sur la ligne d'horizon entre le ciel et la terre.

— Pharaon marche dans les labours et tombe, face contre terre.

— Pharaon se retranche dans sa voiture où il est appelé par la radio-téléphone.

— Plan sur le sexe de la fillette.

— Plan sur la voiture de police et de pompier au bord de la route ouverte sur la scène de crime.

— Pharaon est au commissariat et on apprend qu'il a mis beaucoup de temps à revenir.

Pharaon terrifié par ce qu'il a vu et ce qui l'a regardé (le sexe de la fillette) a donc fui après la découverte macabre et ne revient que bien plus tard. Le plan sur ce sexe programme alors la vision de Pharaon sur tous les autres plans de sexe : Pharaon regarde Domino et Joseph en train de faire l'amour et leurs corps sont à travers son regard « la présence universelle de l'instinct de mort, silencieux, sous les instincts bruyants[17] », des corps saturés de pulsions, débordés d'un amour prenant sa source dans une animalité irrésistible et aveugle. À la fin du film, il voit le sexe offert de Domino sous le même angle que celui de la fillette violée, comme si Domino était « enceinte du crime, éprouvant son vice, celui de son amant[18] ».

Dans *Twentynine Palms*, David est violé par un inconnu, au milieu du désert. La sexualité prédatrice de David, prenant Katia toujours par derrière — le seul moment où d'ailleurs il n'y arrive pas, littéralement, correspond au seul moment d'harmonie entre lui et Katia lorsqu'ils se retrouvent nus sur les rochers, contemplant le ciel — en est l'image renversée. David et Katia sont en voiture et une autre leur rentre dedans, par l'arrière, volontairement. Les deux voitures s'arrêtent et trois hommes arrachent les deux amants de leur voiture. L'un deux dénude Katia, et les deux autres immobilisent David au sol

---

17. Gilles Deleuze, préface à Émile Zola, *La Bête humaine*, Paris, Gallimard, coll. « Folio-classique », 2001, p. 15.
18. Bruno Dumont, scénario de *L'humanité*, *op. cit.*, p. 89.

et le frappent avec une extrême violence à la tête. Le visage défait et enfoncé dans le sable, tétanisé de douleur et d'effroi, David est alors violé. L'homme crie comme David en éjaculant à son orifice. Katia est exposée à cette scène insoutenable : un homme lui tient la tête pour la forcer à regarder. Si David se sépare à coups de couteaux de Katia à la fin du film, c'est parce qu'elle le rappelle à l'existence de son corps déchiré, humilié.

Dans *Flandres*, Demester part à la guerre. La guerre permet le déchaînement de ses instincts les plus grégaires : relents de racisme au sein de la compagnie, violence arbitraire sur les populations civiles, meurtre. La guerre l'autorise. Et soumettre l'autre à sa volonté prend aussi le visage de la sexualité : celui du viol collectif d'une prisonnière auquel Demester va participer. Mais violer cette femme pour Demester, c'est passer l'épreuve de la virilité, sous le regard de ses compagnons et surtout de Blondel, son rival. C'est dépasser sa vulnérabilité et transférer son désir de vengeance : « À la créature qui excitait sa fureur, [il] en substitue une autre qui n'a aucun titre particulier à s'attirer [ses] foudres sinon qu'elle est vulnérable et qu'elle passe à sa portée[19]. » Violer cette femme, c'est pénétrer un corps qui se refuse, comme se refuse le désir de Barbe qui est avec Blondel. Le viol, comme la guerre, c'est cette barbarie qui sourd en lui, pour qui l'autre en face n'est plus un homme mais un ennemi. Dans cette logique, Demester abandonne Blondel sur le front : il le condamne à mort car le laisser mourir c'est regagner Barbe. Le viol est alors celui des codes de la fraternité pour affirmer ceux de sa masculinité. Au-delà du plaisir physique de la possession de Barbe, Demester anéantit avant tout Blondel dans son honneur. Comme l'affirme Bourdieu, la femme n'est, sur le marché des biens symboliques, « qu'un objet ou au mieux un symbole dont le sens est constitué en dehors d'elle et dont la fonction est de contribuer à la perpétuation ou à l'augmentation du capital symbolique détenu par les hommes[20] ».

19. René Girard, *La Violence et le Sacré* [1972], Paris, Grasset, coll. «Hachette Littératures-Pluriel», 2008, p. 11.
20. Pierre Bourdieu, *La Domination masculine*, *op. cit.*, p. 86.

Une «décréation» ?

S'exposer nu constitue l'humilité de l'homme. Cette épreuve du mal crée un vide. Or, accepter le vide en soi-même, c'est se «décréer», «être tué du dehors par l'extrême souffrance et l'abjection[21]». L'expérience de la guerre est pour Demester une expérience de néga- tion de lui-même par les crimes auxquels il se livre (abandon de son ami Blondel, viol de la femme soldat). Dans *Hadewijch*, le passage à l'acte agressif et guerrier de Céline (l'attentat terroriste) tue son moi tout entier livré à la douceur et à l'amour. Dans *L'humanité*, la décou- verte du corps de la fillette violée est pour Pharaon la difficile accep- tation de ce qu'est l'humanité. L'homme «consen[t] à n'être rien», accepte le déséquilibre. La grâce «peut entrer là où il y a un vide pour la recevoir». «Accepter un vide en soi-même, cela est surnaturel. Où trouver l'énergie pour un acte sans contrepartie? L'énergie doit venir d'ailleurs[22].» La grâce est cette énergie. Il faut s'alourdir et des- cendre, chuter pour s'élever.

L'expérience du mystère : la grâce

La grâce, «c'est un éclair qui tire de la nuit les formes et les pré- sences qui n'y sont pas dissimulées, mais simplement disponibles pour la lumière qui veut venir les éclairer[23]». Elle fait alors lever dans le cœur des personnages un sentiment de plénitude. Si le cinéma de Bruno Dumont est un cinéma très elliptique, c'est parce que l'ellipse est la forme cinématographique qui est le creuset même du mystère. Dans chaque film, il y a des drames : viol, meurtre, attentat terro- riste. Mais, les événements ont lieu pendant les ellipses, et ils restent le plus souvent dans l'ombre : dans *L'humanité*, le viol de la fillette par Joseph ; dans *La Vie de Jésus*, la mort de Kader ; dans *Hadewijch*, l'atten- tat terroriste.

21. Simone Weil, *La Pesanteur et la grâce* [1947], Paris, Plon, coll. «Agora», 1988, p. 81 et p. 73.
22. *Ibid.*, p. 81, p. 53 et p. 54.
23. Jean-Luc Nancy, *L'Adoration, déconstruction du Christianisme 2, op. cit.*, p. 69.

Ce ne sont pas les «péripéties» qui comptent mais les sentiments qu'elles font lever dans l'intériorité des personnages et qui reste un mystère. Ce mystère ne peut aussi apparaître que sous une absolue ambiguïté. L'esthétique du morcellement par le recours à l'ellipse est, dans le cinéma de Bruno Dumont, un refus d'interprétation univoque du réel parce que, justement, il y a un sur-réel, qui est la vérité de l'être. Les trous dans la narration sont ainsi les interstices par lesquels il peut entrer. Il ne s'agit pas de «cour[ir] après la poésie, elle pénètre toute seule par les jointures[24]».

Le choix d'un point de vue particulier, psychologique ou éthique disparaît. Les personnages sont avant d'être ceci ou cela, ils sont des «blocs» de réalité. Dans *L'humanité*, Pharaon est lieutenant de police. Mais le lien entre Pharaon et le crime est d'abord établi par le spectateur; il est créé par le montage: Pharaon est en fuite, il tombe face contre terre et il est appelé par la sirène de sa voiture, une voiture de police. Ellipse. Le plan suivant s'ouvre sur le sexe exsangue de la fillette. Pharaon est retranché dans sa voiture, puis, dans une lenteur extrême, il repart. Ellipse. Pharaon est au commissariat où il doit faire son compte rendu; le commissaire lui demande «ce qu'il a foutu depuis deux heures». Il pourrait être le criminel: sa dissonance dans sa manière de parler et sa maladresse dans la façon qu'il a de se déplacer, de conduire sa voiture et de réagir, y participent. Il «meurt» un instant sur la terre portant les traces du crime. Le spectateur est dans son regard, à travers le plan du sexe, plein d'effroi. Dès le départ, le «spectacle» et la dramatisation traditionnelle sont refusés. Pharaon est moins lié au crime en tant que lieutenant de police que par son imprégnation, sa sensorialité. L'ambiguïté fait entrer le spectateur dans l'histoire et l'amène ailleurs. Il ne s'agit pas d'une intrigue policière. La discontinuité dans le montage et les ellipses sont un saut à faire, un vide à franchir pour passer de l'autre côté.

Dans *Hadewijch*, les circonstances de l'attentat terroriste se laissent entrevoir, encore que très partiellement: Céline et Nassir font un voyage au Moyen-Orient et rencontrent des musulmans. Ils échangent

---

24. Robert Bresson, *Notes sur le cinématographe* [1975], Paris, Gallimard, coll. «Folio», 1988, p. 39.

sur leur foi. Ellipse. Nassir et Céline attendent sur le quai du métro à Paris, ils montent dans une rame. Ellipse. Un plan fixe sur l'Arc de triomphe surgit et une bombe explose. Ellipse. Céline est à nouveau au couvent. Alors qu'elle prie, la mère supérieure vient la chercher et lui dit que «des gens» sont là pour elle. Ellipse. Deux policiers sortent du couvent, Céline, troublée est dans le verger. L'équivoque reste entière : l'échange avec les policiers a été éludé. Apparemment, ils ne sont pas venus l'arrêter. L'ont-ils informée sur la mort ou non de Nassir? Comment l'ont-ils retrouvée? Sont-ils venus parce qu'elle est suspectée? Pourquoi Céline est-elle revenue au couvent? Comment est-elle ressortie indemne de l'attentat? Ces ellipses sont des silences d'autant plus déroutants qu'elles portent en germe le dernier geste du personnage, celui de s'enfuir et de se «suicider». Les ellipses cernent la contiguïté du vide et de la plénitude, tout en rendant l'inachèvement du réel pour en suggérer le mystère.

Voir l'invisible au plus près du visible

L'invisible est présent et sensible, mais il n'est pas donné. Dans la grâce, le «halo» d'invisible des désirs et des pensées des personnages devient visible. Dans cet esprit, le cinéma de Bruno Dumont construit une esthétique pour lui faire «rendre gorge[25]».

La maladresse comme révélation

La spiritualité des personnages s'exprime dans sa profondeur tout d'abord par une esthétique de la maladresse. Bruno Dumont dit préférer «des choses maladroites et puis fouiller, triturer et monter tout ça». Il a «envie de travailler avec les déchets, les petits machins qui tombent, les chutes, les accidents[26]», qui sont pour lui la possibilité

---

25. Expression de Jean-Luc Godard à propos de la réalité, in Alain Bergala (éd.), *Jean-Luc Godard par Jean-Luc Godard*, tome 2, Paris, Cahiers du cinéma, coll. «Atelier», 1998, p. 263.
26. Philippe Tancelin, «Bruno Dumont. Enquêtes sur le réel (entretien) » *op. cit.*, p. 58.

de dissoudre toute intention afin de révéler ce qui ne peut être filmé mais qui murmure sans fin : l'âme, le spirituel. Il aime «ce temps ordinaire, médiocre où arrive l'au-delà des êtres» : «La médiocrité est jointe, elle est là et c'est d'elle toujours que surgissent les prodiges[27].» La maladresse est donc un contrepoint à la maîtrise qui permet de passer «ailleurs». La contradiction entre l'austérité et la fixité des plans et l'élan des acteurs dans toute leur maladresse amène, en effet, à cet autre côté. La transcendance n'est alors pas un élément surajouté qui intervient par un artifice : elle est immanente. Bruno Dumont explique ainsi que la fragilité de l'actrice d'*Hadewijch*, qui «faisait des manières» et qu'il avait alors «engueulée» sur le tournage, a permis de révéler autre chose dans le plan d'une scène. Céline, après une promenade en forêt avec Nassir et leur discussion sur l'idée du martyre, se retrouve devant le couvent avec lui. Elle lui dit : «Je suis prête.» Sa voix balbutiante et son regard naissent de «ces aléas et de tous les accidents qui ont eu lieu», «ce qui est sorti, c'est parce qu'elle est fragile». La maladresse de l'actrice et sa réaction manifestent autre chose d'elle-même, qui refait surface au moment de la prise, et révèlent par la même occasion l'invisible, ce qui est intériorisé par le personnage qui est enfin «prête» au combat. Le contrechamp au regard de Céline est un plan sur une pâture, dressant ainsi tout le champ du possible devant elle et l'attente de ce dévoilement. Au plan suivant, son visage est baigné de lumière, illuminé par le ciel. La maladresse devient d'autant plus irréfutable qu'elle reste impalpable.

La maladresse est aussi ce qui empêche les plans d'être pensants. Le réel est diffracté, coupé, fragmenté, et amène à voir ce qui est en dessous mais aussi derrière. La maladresse neutralise l'idée dans son expression : travailler avec elle permet de ne pas toucher aux événements, de ne pas les pénétrer artificiellement de pathos. Aussi, l'homme, dans les films de Bruno Dumont, se laisse-t-il envelopper par quelque chose d'insaisissable qui manifeste sa spiritualité, sa grâce. Les corps, saisis dans leur maladresse, résistent à l'identification et les personnages échappent à toute prise venant de la

27. Franck Garbarz, «*L'humanité*», *op.cit.*, p. 50.

psychologie comme de la vraisemblance. La lenteur de Pharaon dit la plongée de son esprit dans le seul immédiat, elle montre sa recherche intuitive de silence et d'espace de contemplation. Elle est son ultime réticence : une vitesse – un élan – qu'il cherche mais qui n'atteint pas tout de suite son plein régime. L'hésitation de Céline indique son écartèlement entre son désir et la volonté de s'absenter de son corps, le heurt entre son être sensible au monde et sa croyance en un rapport intime avec le Christ, sa dissidence exigée par l'osmose sublimée avec l'aimé manquant. L'esthétique de Bruno Dumont extrait les essences des corps en cessant d'en faire des états dans lesquels les choses se trouvent. Il les expose dans leur maladresse comme des mouvements, des imminences, des suspensions, ce qui rend alors visible l'invisible, c'est-à-dire la spiritualité. Il reste toujours une zone d'ambiguïté et de mystère : le gauchissement des gestes, l'atonalité des voix ont ce potentiel de révéler ces zones d'inconnu, des profondeurs mystérieuses.

Le réel, l'autre dimension du mystère

Si la maladresse des personnages dévoile leur spiritualité, le réalisme extérieur, à travers le son en prise direct et les décors naturels, rend aussi compte de leur être intérieur. Bruno Dumont affirme à propos d'*Hadewijch* qu'il y a «un naturalisme qui ne parle pas de vie sociale mais de vie spirituelle[28]». Le cinéaste capte l'esprit mais tel que le révèle le corps. L'invisible habite intensément le visible et il s'agit de filmer ces «liens qu'attendent les êtres et les choses pour vivre[29]». L'homme est attentif au souffle qui est en lui et auquel il est ramené par son va-et-vient dans la poitrine : les respirations des personnages s'entendent, même lorsqu'ils sont loin dans le cadre. Mais il est aussi ramené au souffle, aux «courants [qui] passent» dont il ne peut percevoir la présence. Le vent est alors un élément récurrent dans tous les moments de grâce que les personnages traversent. Le mouvement des

28. Propos de Bruno Dumont recueillis par Marion Odon sur www.culturopoing.com, 25 février 2010.
29. Robert Bresson, *Notes sur le cinématographe, op. cit.*, p. 81.

feuilles dans les arbres, filmé même parfois sur les corps et les visages, est comme la trace du «mouvement de l'âme». Le vent, dont on entend le bruit, c'est la grâce de Barbe qui accueille la souffrance de Demester dans le sous-bois ; c'est le geste de compassion de Pharaon qui se recueille sur le lieu du crime ; c'est la rédemption de Freddy qui pleure à la fin du film ; c'est le suicide – la mort à Dieu – et la renaissance à l'homme d'Hadewijch. De même, la lumière naturelle est souvent la lumière intérieure des personnages. Dans *Flandres*, alors que le soleil de plomb du désert de la guerre ne baigne pas l'espace de lueurs mais darde ses traits, celle qui éclaire le visage de Barbe à travers les arbres dans le sous-bois l'illumine. L'intériorité spirituelle de Demester à la guerre ne peut s'attendrir, la lumière est dure, trop roide pour céder. Celle de Barbe contient sa grâce, et la lumière a cette puissance, comme si une présence s'y rechargeait. Le spirituel est joint à la réalité matérielle car il est en transparence du sensible, donné dans l'expérience charnelle du corps : le tremblement de l'air à la surface des corps révèle l'intériorité des personnages, et il communique à la lumière une certaine motilité. Le vent comme la lumière ne sont rien d'autre que la manifestation d'une présence au centre de tous les visibles : à travers eux, «l'invisible est là, sans pourtant être quelque chose d'objectif», il est «la transcendance pure sans masque ontique[30]».

L'invisible constitue la membrure du visible. Tout visible est aussi invisible, et l'accès au monde des personnages se fait d'abord sur celui d'un manque, qui appelle à être comblé. Ce manque est cependant ouvert sur ce qui doit le combler. Merleau-Ponty parle de «lacune constituante» ou de «néant qualifié». Or, faire «cette expérience du néant qualifié, c'est [voir] qu'il y a transcendance, être à distance, c'est-à-dire que l'être [...] est ainsi gonflé de non-être ou de possible, qu'il n'est pas ce qu'il est seulement[31]». En accédant à l'invisible, l'homme accède à la grâce.

30. Maurice Merleau-Ponty, *Le Visible et l'Invisible, op. cit.*, p. 282.
31. *Ibid.*, p. 234.

L'élévation

La pesanteur des personnages est l'état premier. Elle est le signe de leur régression et de leur abandon à la nuit. Mais cette pesanteur s'inverse dans tous les films de Bruno Dumont, à l'exception de *Twentynine Palms*, en apesanteur, en élévation. Les personnages éprouvent une force, une vitalité qui tend vers l'infini. Cette force s'élève au-dessus de la sensibilité : la variabilité des états émotionnels est abolie, l'angoisse de la mort balayée, ils sont touchés par la grâce. Transportés hors d'eux, les personnages font l'expérience de l'immanence, une immanence inépuisable, indéfinie.

Le premier plan de *L'humanité* s'ouvre sur la fuite de Pharaon. Sa terreur le rend alors à la terre : il y tombe. Il fuit dans l'espace du dehors mais s'enfonce dans son être, il y « coule du plomb ». Il a vu le sexe de l'enfance violée, l'origine de la fin du monde : ce qui est affecté est son regard sur lui-même et sur le monde. Pourtant, vers la fin du film, Pharaon prend son envol : il lévite. L'extrême humilité de Pharaon rejoint l'extrême élévation. Sa grâce le fait changer de « masse imaginaire » : « Se mouvoir dans un mouvement qui engage l'être, dans un devenir de légèreté, c'est déjà se transformer en tant qu'être mouvant [...]. Rien de mieux pour cela que de prendre conscience de cette puissance intime qui nous permet de changer de masse imaginaire et de devenir en imagination la matière qui convient au devenir de notre durée présente. Plus généralement nous pouvons couler en nous-mêmes soit du plomb, soit de l'air léger ; nous pouvons nous constituer comme le mobile d'une chute ou le mobile d'un élan[32]. » La scène de lévitation de Pharaon dans son jardin succède au plan du sexe

L'humanité

de Domino, c'est-à-dire à l'autre vision de Pharaon de l'origine du monde. Pharaon a aussi fui lorsque Domino s'est offerte à lui. Il s'est

---

32. Gaston Bachelard, *L'Air et les songes. Essai sur l'imagination du mouvement*, Paris, José Corti, 1968, p. 294.

réfugié chez lui. De profil, le visage contre le mur du couloir, il se retrouve dans un face-à-face avec lui-même. Il n'y a rien qui le sépare de son désir, rien d'autre que son humilité qui nie être ça, qui refuse la fusion, l'anéantissement passif. Il a répondu d'ailleurs à Domino qu'il ne voulait pas d'elle, « pas comme ça ». Le plan moyen sur Pharaon ouvre une profondeur de champ comme si Pharaon était encore dans la chambre avec Domino. Mais cette profondeur de champ est brisée par l'insert en gros plan du sexe de Domino traduisant l'absorption de son être. Parce que Pharaon a refusé de s'y abîmer et de l'abîmer, parce qu'il en réfrène la présence sordide en l'absorbant en lui-même, il s'élève.

Le changement de sa « masse imaginaire » est visible : ses cheveux sont plus courts, il est amaigri, son regard est vide et lointain. Pharaon est d'abord accroupi, il caresse des fleurs. Un contrechamp montre alors le lieu du crime, muet, dans la brume. Dans un très lent panoramique vertical, le corps de Pharaon s'élève : le sommet de son crâne surgit au milieu du cadre, puis son buste, et il s'achève sur son visage de profil. La lenteur et la fluidité visent à rendre quasi imperceptible le mouvement d'appareil afin de mettre en évidence cette force mystérieuse qui libère le personnage du poids de son corps. Un plan large revient sur le paysage mais il a changé d'axe : le lieu du crime est plus lointain. Ce changement d'axe suggère le mouvement phy-

L'humanité

sique de Pharaon autant que son mouvement intérieur : comme il se détache du sol, il se détache du lieu du crime. Le cadre se resserre sur le visage de Pharaon, les yeux ouverts puis clos. Le seul bruit durant toute la séquence est celui de l'atmosphère silencieuse qui, en même temps qu'elle se vide, semble bouger. Pharaon est alors cadré de dos, la tête baissée, comme recueillie, les pieds à quelques centimètres au-dessus de la terre : son corps a quitté le sol, lentement, et s'expose au silence. Pharaon est plongé dans un temps libéré, innocent, là où meurt la temporalité du réel et revient l'énergie naturelle : son corps, en apesanteur, «donne substance à une durée qui s'exalte[33]». Le dernier plan de la séquence est un plan large du paysage, le lieu du crime a disparu dans la brume.

Dans *La Vie de Jésus*, Freddy est touché par la grâce à la fin du film. Arrêté par les gendarmes, Freddy se précipite sur la porte du bureau où il est interrogé et s'enfuit du commissariat. Dans la nuit, sans bruit, il vient chercher sa mobylette à l'intérieur du café que tient sa mère.

La Vie de Jésus

Au matin, dans un pré sauvage, il se ploie. Puis il frappe son corps contre la terre comme pour l'humilier et lui faire mal. Il s'apaise et, figé, les bras le long de son corps, le torse nu baigné de lumière, il s'allonge dans l'herbe. Il regarde les nuages dans le ciel. Il se redresse, gémit. Ses yeux pleurent, ouverts sur le ciel. Les bruits, pendant toute la séquence, sont diaphanes par et dans leur mobile élévation : on entend, toujours hors champ, le chant des oiseaux, le souffle du vent et les pleurs de Freddy. Le son est aérien «à l'extrémité du silence, planant dans un ciel lointain-doux et grand. Le paradoxe joue du petit au grand. C'est l'infiniment petit du son, la pause de l'harmonie [...] qui ébranle l'infiniment grand de l'univers[34]». Cette élévation sonore est doublée d'une élévation visuelle qui est celle du contrechamp du regard de Freddy sur le ciel et le paysage. Si deux inserts, l'un sur une fourmi courant sur la cuisse de Freddy et l'autre sur ses mains dont les ongles sont salis par la terre, ramènent le personnage à la matérialité, le dernier plan est un gros plan sur son visage dont le dénuement donné en pleine lumière en diffuse la grâce : son âme à nu, muette, infinie et sans fond.

Dans *Hadewijch*, l'élévation de Céline est celle d'un coup de grâce. Céline a été privée de ses repères, elle a connu une forme quasi

---

33. *Ibid.*, p. 295.
34. *Ibid.*, p. 64.

absolue d'errance intérieure et de vide. De manière inattendue et ultime, elle en ressort revivifiée. Entraînée par les événements – elle se fait exclure du couvent et participe à un attentat terroriste –, elle est alors menée à « mourir » à Dieu. Lorsqu'elle quitte le couvent, elle redevient d'ailleurs Céline, elle est « née » Hadewijch en y entrant. Mais cette mort à Dieu est le commencement d'une « sainteté laïque » que Bruno Dumont définit comme « une forme d'élévation poétique qui existe chez tout être[35] ». Aussi, à la fin du film, s'enfuit-elle délibérément du couvent. Son parcours est d'ailleurs ascensionnel : elle monte les escaliers, puis traverse le sous-bois en pente jusqu'à l'oratoire. Cette traversée est filmée en contre-plongée accentuant le mouvement d'élévation. En même temps, elle ne s'absente plus de son corps mais est ramené à lui : il résonne ferme sous ses pas, elle est essoufflée. Elle tombe à genoux devant l'oratoire et le corps du Christ reste hors champ, elle en est définitivement coupée. Elle abandonne d'ailleurs sa croix – sa Passion – en l'accrochant aux grilles. Puis elle fuit à nouveau et arrive devant une pâture. Elle s'arrête, dévale la pente et se « dissout » lentement dans une mare. Cependant, cette mort à Dieu consentie est une nouvelle naissance : Céline est « sauvée » par le maçon du couvent et renaît en larmes dans ses bras.

Le sacré, cette énergie

L'expérience du mystère, c'est aussi celle du sacré, « invisiblement qui se terre[36] ». Le sacré est au cœur de l'ordinaire, il n'est pas au cœur du religieux. Bruno Dumont affirme d'ailleurs qu'« il y a quelque chose de profond dans l'être humain qui est mystérieux, qui est lié au sacré. Le sacré s'incarne toujours dans le profane, dans son aspect. Quand il y a quelque chose d'autre qui fait que ce n'est plus le profane et que la caméra est capable de montrer parce que c'est ce qu'on vit nous-mêmes, il apparaît[37] ».

35. Expression de Bruno Dumont à propos de son héroïne, dans une interview du 10/11/2009 avec Sandrine Marques, blog MK2.
36. Bruno Dumont, note d'intention de l'humanité, *op. cit.*
37. Philippe Tancelin, « Bruno Dumont. Enquêtes sur le réel (entretien) », *op. cit.*, p. 78.

Dans *L'humanité*, Pharaon ignore, lors de sa visite au musée, une toile de la déploration du Christ pour se recueillir devant le tableau représentant une fillette assise dans l'herbe – *Le Portrait de mademoiselle Delebart*, 1883. Le tableau profane est accroché, le tableau religieux à terre. Mais l'ordinaire est sacré : le tableau religieux reste dans le champ et résonne avec l'attitude de Pharaon et avec ce qu'il ressent. Tête baissée, les mains derrière le dos, humble, il ferme les yeux. Contrit comme Marie Madeleine aux pieds du Christ, Pharaon pleure la petite fille qui a été violée et à laquelle le tableau le renvoie. Sa déploration est aussi sa compassion, comme celle de la vierge qui tient dans ses bras le corps supplicié du Christ qui pèse de tout son poids de chair et attend sa résurrection. Pharaon est devant l'ordinaire du tableau de la petite fille, comme en suspension entre la douleur et l'espoir, à l'instar de la déploration du Christ qui est cet instant entre la mort et la résurrection du Christ où l'humanité reçoit son corps que ses péchés ont cloué sur la croix, instant entre l'attente et la rédemption.

Le sacré est la puissance d'un visage, celui de cette petite fille. Il est aussi le visage du maçon dans *Hadewijch* qui rend chair au désir de Céline : un visage où «tout [est] contenu en lui, tout ce qui [est] nécessaire à l'amour. Et rien de fermé, rien d'inexprimé, d'assombri : son mystère [resplendit] avec clarté comme son regard[38]». Le sacré, c'est aussi la nature. Céline accède au sacré en se laissant pénétrer par l'ordinaire qui est la pluie, les arbres, la végétation du verger, là où la lumière risque sa perfection non plus dans Dieu mais dans la précarité du monde. C'est d'ailleurs lorsqu'elle est sous la verrière, à la fin du film, que son attitude et sa pose sont les plus proches de l'iconographie chrétienne. Céline, en robe courte, les bras nus, est à côté d'une religieuse voilée et, pourtant, c'est autour d'elle que se diffuse un halo de lumière. Dans *Flandres*, Barbe est allongée à même le sol, sous le corps lourd de Demester, dans un sous-bois. La lumière illumine son visage. Cette sacralité lumineuse du plan, accentuée d'ailleurs par une sacralité sonore (le souffle du vent) succède au plan

38. Pier Paolo Pasolini, *Actes impurs, suivi de Amado mio* [1983], traduit de l'italien par René de Ceccaty, Paris, Gallimard, coll. «Folio», 2003, p. 111.

subjectif précédent sur les branches d'arbres à travers lesquelles passe la lumière. Le regard lumineux de Barbe agit comme un silence, et contient un mystère : il voit ce qu'il ne peut saisir mais qui se tient là, dans l'ordinaire, comme si une présence s'y rechargeait.

Les personnages révèlent le sacré virtuellement contenu en germe dans les aspects profanes de la vie. Ils ne découvrent pas le mystère dans l'approche d'un principe absolu ou à travers des expériences exceptionnelles, mais au contact de la réalité, une réalité de chaque instant, dans l'expérience quotidienne de cette réalité. Leur mysticisme est cet étonnement devant le fait de l'existence, de chaque existence, le fait d'être et non pas le contenu de l'être.

2. L'EXPULSION

L'extase dans laquelle les personnages sont plongés est une expulsion. L'animalité de l'homme est une décharge de ses pulsions, il s'en allège en les déversant. Dans la grâce, il quitte sa prison de chair, le corps exulte et il accède à la plénitude.

La catharsis : la décharge de l'animalité

L'exacerbation de l'expérience du vide, cette marche régressive du sens de la perception et de la représentation, allant en deçà même de l'apparence, vers un fond commun indifférencié de tous les êtres, en deçà de l'individu, est en même temps une décharge. L'homme fait corps avec le vide : il s'y confronte, c'est-à-dire qu'il s'y mesure afin de le laisser s'affirmer et de s'affirmer en lui. Il ne s'y perd pas en le laissant se déverser et se dissoudre, mais trouve le moyen d'en soulever la charge, d'en affronter la puissance et l'horreur : l'instinct déchire le voile qui masque «l'éternelle souffrance, unique fondement du monde [...], éternelle contradiction, mère des choses[39]». Chargé, surchargé de pulsions d'animalité, l'homme, en s'en déchargeant, s'en allège. Seule l'intensification, le débordement et l'explosion de ces énergies peuvent produire la décharge : l'expérience cathartique. Les personnages satisfont alors leur besoin d'agression et «une fois qu'il est éveillé, le désir de violence entraîne certains changements corporels qui préparent les hommes au combat[40]». Les hommes se rasent la tête : Freddy dans *La Vie de Jésus*, Demester dans *Flandres*, David dans *Twentynine Palms*. Entendre ce dont parle la

39. Friedrich Nietzsche, *Naissance de la tragédie, op. cit.*, p. 33.
40. René Girard, *La Violence et le Sacré, op. cit.*, p. 98.

violence, c'est aussi se faire violence, abîmer et brutaliser son corps, défaire les traits de son visage. Les personnages vont jusqu'au bout de l'abjection et la répètent : ils expérimentent toutes les formes de violence. Joseph, dans *L'humanité*, étreint Domino comme il a pu violer la fillette ; David tue Katia en répétant douze fois son geste ; Freddy frappe et tue Kader ; Demester viole une prisonnière, brutalise et tue des enfants, trahit et condamne à mort Blondel. L'ivresse d'infliger la souffrance, de martyriser et de tuer n'est pas réprimée, ni sublimée mais exaspérée. La répétition n'est pas une duplication du même mais une reprise, un retour à la source qui implique une métamorphose. Ce qui fait retour diffère en recommençant et ne revient que déplacé.

La décharge est alors une libération : elle libère la surabondance pulsionnelle et destructrice au fond de l'homme et lui permet en même temps de s'exprimer pleinement. L'allégement impliqué par la décharge n'est pas une purgation qui permettrait l'élimination du trop-plein comme une saignée permettant l'évacuation du mal, ni une effusion dans laquelle les passions se répandraient sauvagement. Les pulsions s'allègent en trouvant le «jeu» qui permet de les supporter encore et ce jeu est la tragédie, leur tragédie. Aussi l'homme s'allège-t-il en se déversant. Cette décharge est son possible d'absorption, sa capacité à devenir lui-même par l'épreuve du mal et de l'animalité.

Pareille décharge, c'est aussi celle du spectateur. Bruno Dumont affirme clairement que la nature est la matière première, primitive de son cinéma. La justesse du rapport au monde dans l'art s'exprime en termes de dévoilement. Ce dévoilement correspond à une régression nécessaire : il s'agit de montrer au spectateur sa nature profonde. Mais il s'agit aussi d'une expérimentation. Son cinéma cherche à exposer le spectateur à ce qu'il est souterrainement, à sa part archaïque, pour lui offrir la possibilité de s'en décharger, de s'en purger. La catharsis passe par un dessaisissement Le spectateur, devant les films de Bruno Dumont, vit ce qu'il entend, ressent ce qu'il voit. Plongé au cœur des affections, il souffre avec les corps blessés. La mise en scène agit par contagion de l'intérieur – les personnages, leur corps – à l'extérieur, le spectateur. Au début de *L'humanité*, le spectateur entre par le son à l'intérieur du corps de Pharaon. Puis il est dans son regard. Comme lui, il est alors violenté et ouvert par le plan du sexe de la fillette. Par la durée du plan qui insiste, la position du spectateur est fragilisée ; ce que désormais il voit le regarde. Cette position vacillante seule peut amener à la vérité consciente des choses. Confronté à l'abjection, au viol, à l'animalité, le spectateur est poussé à un nécessaire dessaisissement : il se retire du film, de la fiction. Or, ce retrait le touche et l'affecte plus encore et lui permet de se purger de ce qu'il a vu et de ce qui l'a regardé.

L'homme est précaire, livré à l'aléatoire et à la contradiction, jeté dans le monde. Les images ouvrent le spectateur qu'il est pour lui permettre d'entrer en lui et rencontrer sa propre vérité. Le cinéma de Bruno Dumont fait face au mal mais il n'y répond pas. Il ne porte aucun jugement, aucune morale. C'est au spectateur de trouver en lui les réponses. L'image fait symptôme, elle est une interruption dans le savoir. Elle est une puissance propre. Et « le film s'arrête là où le spectateur commence[41] ». Le spectateur fait de l'image une connaissance : il l'achève par son regard et elle devient interruption dans le chaos.

L'allégement

La grâce est aussi un allégement. Tous les personnages ressentent à travers leur extase une sensation extrême de légèreté. Leur volonté est captivée par la douce présence de ce qui est, ils ne sont plus dans l'inquiétude mais dans la quiétude du recueillement. La question de la possession ne se pose plus, il n'y a plus d'avoir, il n'y a plus que l'être. Plongés dans une passivité radieuse, la « nuit » s'embrase, foudroyée de l'intérieur par la soudaine clarté de la vision : il n'existe plus de séparation entre soi et le monde, entre l'intérieur et l'extérieur, entre le je et le tout. La grâce, « rachetée de tout retour égoïste sur soi[42] », ouvre à un ailleurs qui n'est pas un au-delà mais un accès à un état de

---

41. Juliette Cerf, « C'est le spectateur qui achève le film. Entretien avec Bruno Dumont », 1er septembre 2006, www.regards.fr/culture/bruno.dumont.
42. Michel Crouzet, *Le Naturel, la grâce et le réel dans la poétique de Stendhal, essai sur la genèse du romantisme 2, op.cit.*, p. 169.

plénitude. Les personnages, expulsés de cette nuit et projetés dans la lumière, sont allégés.

Dans *Flandres*, le silence de Barbe au moment où elle est avec Demester dans le sous-bois contient un mystère. Ce mystère est sa grâce, une grâce qui se manifeste par la lumière qui illumine son visage et par un plan en plongée. Demester l'a pénétrée et elle tente d'absorber l'horreur de son crime. La souffrance de Demester peut exulter dans le sien, lui rentrer dedans pour frayer un passage à l'apaisement. Le corps de Barbe est une caisse de résonance qui absorbe le mal, pas en tant que réceptacle mais en tant que surface poreuse où le dedans envahit le dehors. Barbe libère le poids de l'abjection en l'absorbant en elle-même. Son corps est poreux parce qu'il est livré aux sensations et qu'il est aussi réconcilié par sa grâce – accueil de l'autre en dedans. Après cette pénétration, Barbe « voit » au-delà du visible : son regard se consume dans un dépassement du visible, dans une mystique de la voyance. Elle dit à Demester qui reste silencieux qu'« elle a tout vu, qu'elle était là » lorsqu'il a abandonné Blondel, lorsqu'il a tué, lorsqu'il a souffert. Le regard de Barbe et le monde s'ouvrent ensemble, le premier inclus dans le second qui, en même temps, le pénètre.

Barbe s'allège alors. Elle quitte Demester et retourne chez elle. Elle s'assoit sur un banc et frappe son dos contre le mur, comme Freddy, à la fin de *La Vie de Jésus*, frappe son corps contre le sol. Puis Barbe se lève sur la pointe des pieds. L'insert sur ses chaussures et ses jambes griffées, écorchées – le corps de Freddy avait aussi des plaies, traces de ses chutes successives en mobylette – est un plan en contre-plongée sur son visage. Même si le plan traduit la tension du mouvement, l'aspiration au sens physique d'étirement vers le haut de tout son corps, il signifie l'allégement de Barbe : la contre-plongée annule le plan en plongée lorsque Barbe arrive dans la cour extérieure de sa maison avant de s'asseoir et où elle est totalement écrasée. Aux bruits de ses pas témoignant de la pesanteur du personnage succède le bruissement des feuilles dans les arbres. Dans un montage parallèle, Bruno Dumont inscrit un plan de Demester, de dos, face au paysage. Demester surgit en amorce du cadre, comme le corps de Pharaon dans *L'humanité* lorsqu'il commence à léviter. Le plan a la même

Flandres

durée. Demester fait face au paysage : son mouvement, à lui aussi, est de se redresser. Les arbres qu'il regarde au loin pourraient être sa recherche d'un axe de lévitation.

Dans *L'humanité*, Pharaon s'allège du poids de son corps : il lévite. Mais au-delà de cet allégement physique, il s'allège grâce à sa compassion. Pharaon n'est pas capable seulement de s'imprégner, il est aussi capable de donner. Il donne son amour à Domino, il donne sa douceur au dealer et à l'infirmier de l'hôpital psychiatrique, il donne son pardon à Joseph. Au-delà du don de soi, Pharaon allège l'humanité coupable et souffrante en prenant aussi sur lui la douleur : sa compréhension et son pardon sont le consentement à l'humanité dans ce qu'elle a de tragique et de grâce, dans le fait de participer à la souffrance autant qu'à la renaissance, comme tout «mystique qui voudrait transmettre à tous l'élan de la vie qui l'a traversé, l'imprimer à l'humanité tout entière[43]». Dans *Hadewijch*, Céline, par sa grâce, s'allège de ses superstitions. Elle s'affranchit de son amour aliénant pour le Christ. Le «sentiment océanique[44]» qui l'envahit lui donne la sensation de l'éternel mais dans le présent où elle est : portée à la pure sensation d'être, elle est dans un présent sans borne perceptibles. Le Christ l'a appelé à désirer mais son corps qui exulte, à travers ses larmes et l'eau dont elle est inondée, l'amène à regarder l'homme :

«Sur ce ciel délabré, sur ces vitres d'eau douce,

[son] visage viendra, coquillage sonore,

annoncer que la nuit d'amour touche au jour[45]. »

Céline part du ciel et retourne sur terre, une terre sur laquelle elle aime, aérienne.

---

43. Henri Bergson, *Les Deux Sources de la morale et de la religion*, op. cit., p. 331.

44. Expression de Sigmund Freud dans *Malaise dans la civilisation* [1929], citée par Jean-Paul Curnier, in *Montrer l'invisible. Écrits sur l'image*, Paris, Jacqueline Chambon, 2009, p. 169.

45. Extrait d'un poème d'Éluard cité par Jacques Lacan dans le *Séminaire VII, éthique de la psychanalyse*, Paris, Éditions du Seuil, coll. «Champ freudien», 1986, p. 184.

3. L'OUVERTURE

Par ces expériences de dépassement de lui-même, l'homme est ramené à son existence. Il trouve dans une dépropriation extrême, qu'il s'agisse de son animalité ou de sa grâce, la force de l'acceptation qui est celle de re-naître et la grandeur d'un commencement.

L'acceptation, un dévoilement

« Combien dut souffrir ce peuple pour devenir si beau[46]. » L'animalité comme la grâce, révèlent aux personnages à quel point la pulsation de la vie est sans borne, inépuisable.

L'animalité qui sourd ou re-jaillit dit la précarité et la pesanteur de l'existence. Mais partir du terrible, du « *deinon* », plonger son regard dans le fond originaire de sa condition et de son être, au risque du vertige, est nécessaire. Le premier jour émerge d'un crépuscule et l'homme premier expérimente d'abord la lumière par l'épreuve du mal : « La création du monde, c'est tomber pour rejaillir. Le saut dans l'abîme, le saut dans la mort constituent le premier temps[47]. » Même l'approche de l'« inouï » dans la grâce passe par le vide : le contact avec le surréel et le sacré peut être vécu dans un premier temps comme l'expérience d'un vertige, d'une aspiration vers le néant. L'homme est sauvage et mystique. Or, la mystique ouvre la voie de l'abandon qui permet aussi de penser l'être par le néant : Sainte Thérèse d'Avila meurt de ne pas mourir, avide d'excès sacrificiels ; Angèle de Foligno avale l'eau du bain des lépreux ; Hildegarde de Bingen s'emmure dans une langue inventée. Pharaon, dans *L'humanité*, oppose à sa naïveté et

---

46. Friedrich Nietzsche, *Naissance de la tragédie, op. cit.*, p. 25.
47. Pascal Quignard, *Le Sexe et l'Effroi, op. cit.*, p. 231.

à sa bienveillance les abîmes sourds de sa révolte contre une humanité souillée. Céline dans *Hadewijch* oppose à son amour pour le Christ les abîmes érotiques de sa foi.

Pour voir le mal, l'homme s'y enfonce, «une contemplation sans mort n'est pas une absorption véritable[48]». Il a les pieds dans la boue, le visage dans la terre. Il pénètre dans la matière, au plus profond de la chair. Il affronte la cruauté et l'âpreté de l'existence. Mais cette capacité d'absorption est l'acceptation d'une animalité qui le fait, et celle-ci est alors un dévoilement : l'homme «reconnaît que tout ce qui naît doit se préparer à périr dans la douleur» et qu'il est «contraint de plonger le regard dans les terreurs de l'existence indivi-duelle, sans être figé d'horreur», s'«identifier vraiment, pour de brefs instants, à l'être originel dont [il] éprouv[e] la soif d'exister. La lutte, le tourment, la destruction des phénomènes [lui] paraissent à pré-sent nécessaires[49]». Cette acceptation, c'est aussi celle du cinéaste : «l'héroïsation du mal [ayant] des vertus – tel un vaccin» est «l'épa-nouissement de la tragédie[50]». Les films regardent là où la cendre n'a pas refroidi, là où s'expriment les symptômes. Aby Warburg dit que l'artiste est celui qui fait se comprendre mutuellement les *astra* et les *monstra*, l'ordre céleste et l'ordre viscéral, l'ordre des beautés d'en haut et celui des horreurs d'en bas. Les images de Bruno Dumont pensent en effet «un courage du regard le plus aigu, qui exige le ter-rible comme ennemi, le digne ennemi contre qui éprouver sa force, auprès de qui apprendre ce qu'est la terreur[51]». Les images ouvrent, violentent, détruisent et fêlent la surface sensible de ce qui nous fait face. Elles sont crues, frontales. Le cinéma de Bruno Dumont est à ce commencement du regard et *re-présente* l'homme. Cette représen-tation de l'homme passe par l'altération du réel. Les films sont une re-création de la réalité. L'image ne témoigne pas : elle recrée une réalité non pas telle qu'on la voit mais telle qu'on la sent. L'image fait symptôme : elle retrouve l'origine absente, détruite par les

---

48. Pascal Quignard, *La Nuit sexuelle*, *op. cit.*, p. 138.
49. Friedrich Nietzsche, *Naissance de la tragédie*, *op. cit.*, p. 72.
50. Propos de Bruno Dumont recueillis par Jean-Sébastien Chauvin, Paris, septembre 2009, *www.commeaucinema.com.*
51. Friedrich Nietzsche, *Naissance de la tragédie*, *op. cit.*, p. 12.

sédimentations de la culture. L'altération est celle des corps : c'est le corps de Pharaon qui ressent au-delà du visible de la forme et dont la dilatation embrasse, absorbe ; c'est ceux de David et Katia dans *Twentynine Palms* ou ceux de Joseph et de Domino dans l'amour. Les corps sont en mouvement, pris dans leur élan.

Le cinéma de Bruno Dumont est un cinéma du corps parce qu'il est la matière brute qu'il peut remodeler, altérer. Le corps rend les impulsions mystérieuses à l'origine du mouvement qu'est la vie. Le corps, c'est l'aspiration à l'intérieur d'un monde singulier qui, parce qu'il est touché et affecté par le monde, donne à voir le monde qui nous est commun. Parce que le spectateur est plongé dans le corps de Pharaon dans *L'humanité*, l'enjeu n'est pas de suivre l'enquête et trouver la vérité des faits, autrement dit avoir accès au régime extérieur du visible, mais de trouver la vérité intérieure de l'être, décelable aux confins de l'imperceptible. Enfin l'altération, c'est aussi le réel dépouillé, à nu ; la secousse s'exprime avec force et tient le spectateur au rebord du sacré, un sacré profane qu'il peut s'approprier. Bruno Dumont déforme le réel pour dé-couvrir – ne pas représenter mais dévoiler. Par cette altération, il dé-couvre aussi le spectateur et le « déclenche à lui-même[52] » : il l'entame, l'abîme et l'expose à devenir lui-même par l'épreuve violente de l'altérité. Son cinéma a cette vérité qui « n'apparaît pas dans le dévoilement, mais bien plutôt dans un processus que l'on pourrait désigner analogiquement comme l'embrasement du voile [...], un incendie de l'œuvre où la forme atteint son plus haut degré de lumière[53] ».

Re-naître ou la grandeur d'un commencement

Flandres s'achève sur les mots d'amour balbutiés de Demester à Barbe ; *Hadewijch* se termine sur le visage plein de larmes de Céline qui serre dans ses bras le maçon ; *L'humanité* finit sur l'image de Pharaon qui attend, assis à la place de Joseph, menottes aux poignets. De

52. Philippe Tancelin, « Bruno Dumont. Enquêtes sur le réel (entretien) », *op. cit.*, p. 75.
53. Walter Benjamin, *Origine du drame baroque allemand*, traduit de l'allemand par Sybille Muller et André Hirt, Paris, Flammarion, coll. « La Philosophie en effet », 1985, p. 28.

l'intermittence entre l'animalité et la grâce s'ouvre l'existence des personnages, une existence comme la promesse d'une renaissance ou d'un re-commencement.

Pharaon, par son animalité, se dépouille de l'homme quotidien, normé, civilement inséré dans le monde, pour rejoindre les couches profondes de sa présence charnelle. Mais, par sa grâce, son approche des autres lui permet de se joindre à eux, de prendre leur douleur. Sa naïveté est cette capacité sacrée de «stupéfaction» qui le ramène à l'attention au plus haut degré. Il est, par son animalité et sa grâce, rendu à la compassion. S'il partage les maux de la fillette morte et violée, il s'attendrit aussi devant la laideur de Joseph ou de Domino à la fin du film. Sa simplicité n'exige rien : «La grâce, c'est de s'oublier[54]», et son humilité dissipe alors l'horreur, apaise la souffrance. Dans les dernières images de *L'humanité*, c'est par l'étreinte de Pharaon que Domino s'apaise, c'est à travers sa douceur que son visage reprend figure humaine. Pharaon découvre Joseph dans le

L'humanité

bureau du commissariat. Joseph pleure. Pharaon caresse sa nuque, met son visage contre le sien puis le relève de sa chaise pour l'étreindre. Joseph s'apaise progressivement, il ne pleure plus et sa respiration s'atténue. Pharaon alors l'embrasse et absorbe son mal. Le baiser de Pharaon rend Joseph à son humanité. Le gros plan du visage de Pharaon qui est le dernier plan du film est cependant équivoque. Pharaon sourit mais son regard est inquiet. Il se tient à la place de Joseph qui n'est plus là, assis sur la même chaise, devant la fenêtre. Pharaon à la même place que Joseph, se «met à sa place» : il partage sa souffrance et compatit, tout en

---

54. Georges Bernanos, *Journal d'un curé de campagne* [1936], in *Œuvres romanesques*, Paris, *Nrf*-Gallimard, coll. «Bibliothèque de la Pléiade», 1961, p. 1258.

sachant qu'il reste, en tant qu'homme, ouvert à cette animalité, à cette véhémence de la vie que Joseph a comprise comme possession. Il ne laisse pas la place vide afin d'empêcher l'abjection humaine de la remplir mais, en l'occupant, il peut s'y enfoncer à son tour.

« Chaque homme est tour à tour de quelque manière un criminel ou un saint, tantôt porté vers le bien clairement et singulièrement par un élan de tout l'être, une effusion d'amour qui fait de la souffrance et du renoncement l'objet même du désir, tantôt tourmenté du goût mystérieux de l'avilissement, de la délectation au goût de cendre, le vertige de l'animalité, son incompréhensible nostalgie[55]. » Dans

Hadewijch (caption)

Hadewijch, Céline meurt à Dieu et renaît à l'amour humain. À l'intérieur du couvent comme à l'extérieur, elle est, jusqu'à la dernière séquence du film, recluse à l'intérieur d'elle-même par son amour de Dieu. Cet enfermement intérieur est signifié par son regard toujours dans le vide, dirigé ailleurs et qui renvoie à un hors champ : à la présence du Christ dont elle est privée et qui, pourtant, la maintient dans l'espace. Le hors champ de son regard est la figure narrative de cette privation. Céline regarde aussi souvent de biais, sa vision est latérale : elle éprouve sa disjonction, son corps est dans l'espace relié à un lieu inaccessible. Céline a remis son corps entre les mains du Christ à défaut de l'habiter. Mais ce corps, progressivement, la rappelle : en voulant s'en absenter, Céline en augmente la présence et le désir. L'animalité opère sa première mue : se tenant au monde par les sens, elle s'éveille à la sensualité. D'ailleurs,

---

55. Georges Bernanos, *Sous le soleil de Satan* [1926], in *Œuvres romanesques*, *op. cit.*, p. 1134.

ce qui lui manque est le corps du Christ, et c'est de cette absence dont elle souffre et s'exalte à la fois par sa grâce, «douleur si vive qu'[elle] gém[it], et si excessive la suavité de cette douleur qu'[elle] ne peut désirer qu'elle cesse. Douleur spirituelle et non corporelle, bien que le corps ne manque pas d'y avoir part, et même beaucoup[56]. » Cette grâce qui est l'esprit de son corps, l'ouvre alors aussi au monde : Céline se laisse pénétrer par l'absolu, par la plénitude, et accède au sacré. Elle lui fait ressentir à quel point ce n'est pas l'étreinte de la mort, celle du corps du Christ à travers ses prières qui peut lui donner accès aux réalités spirituelles, mais l'étreinte de l'amour. Aussi Céline s'ouvre-t-elle à un ailleurs qui est en l'homme, pas au-delà. Elle meurt à Dieu en plongeant dans la mare après une prière devant l'oratoire où elle dit au Christ qu'elle «devient créature humaine». Sa prière n'est plus une demande en attente d'une réponse, mais un abandon. Lacan affirme que «le désirant en tant que tel ne peut rien dire de lui-même sinon à s'abolir comme désirant. C'est là ce qui définit la place pure du sujet en tant que désirant» alors que «l'orant dans la prière se voit en train d'orer[57]». C'est-à-dire qu'en articulant son désir, il devient quémandeur, donc orant. Céline abandonne Dieu car elle est désir et elle n'est plus orante. Lorsque le maçon du couvent la tire des profondeurs de l'eau, Céline ne se «soutient» pas à lui mais l'étreint. D'ailleurs le «sauvetage» est très rapide, en un plan raccordé au plus près du mouvement. Céline regarde l'homme droit dans les yeux, et un plan fixe et long lui succède, cadré sur son visage plein de larmes : « Un visage familier [lui] apparaît dans la lumière du désir et [elle sait] tout à coup que depuis longtemps [il] lui était plus cher que la vie[58] », la chair rendue à sa vie.

Dans *Flandres*, Demester, dans des sanglots retenus, dit à Barbe par deux fois «je t'aime». Barbe reste silencieuse mais son silence, le plus pur qui soit, est la réponse de son incomparable acceptation. Cette déclaration est le retour des personnages à leur humanité. Par les mots de Demester, Barbe est rendue à son humanité après des

56. Thérèse d'Avila, *Le Château intérieur*, Paris, Cerf, 2003, p. 55.
57. Jacques Lacan, *Séminaire VII, l'éthique de la psychanalyse, op. cit.*, p. 434.
58. Georges Bernanos, *Nouvelle histoire de Mouchette* [1937], in *Œuvres romanesques, op. cit.*, p. 1339.

relations purement sexuelles et grégaires, après son avortement et son
séjour à l'hôpital psychiatrique.
Demester est capable d'amour
après l'horreur et l'inhumanité de
la guerre. Barbe et Demester sont,
dans le dernier plan, allongés sur le

Flandres

sol. L'horizontalité de leur corps, qui n'est plus celle de la terre et du
ciel, signifie l'équilibre, même précaire, qu'ils ont trouvé.

Dans *La Vie de Jésus*, Freddy pleure, les yeux ouverts sur le ciel :
« Son repentir. Il geint et on dirait qu'il prie ; qu'avec les grimaces de
sa souffrance, ses gémissements, il balbutie, du fond de son ventre,
pardon[59]. » Les larmes de Freddy, si
elles ne sont pas sa « rédemption »,
sont la trace du retour de son humanité. D'autant plus que Freddy n'est
pas en fuite mais attend. L'ambiguïté
est encore présente : pourquoi
Bruno Dumont achève-t-il son film
sur le visage en larmes de Freddy,
jeune homme raciste et criminel ?
Parce que justement l'existence
sourd de cette intermittence entre
l'animalité et la grâce. Freddy est cet
homme qui exacerbe le sentiment
raciste qui peut être à l'intérieur de

La Vie de Jésus

chacun de nous, comme Demester figure l'instinct de guerre, comme
Céline le désir éperdu d'aimer et d'être aimé. Les larmes de Freddy
sont le signe de son éveil : il accède à un état de conscience amélioré
par sa souffrance. Freddy n'est pas « racheté », il reste un criminel. Il
n'interroge pas la responsabilité de l'homme mais son inachèvement :
la place que tient dans son existence le refus, ce qui se défait, le vide,
le rien, le creux, le lacunaire, la mort.

59. Bruno Dumont, *scénario de La Vie de Jésus, op. cit.*, p. 109.

Tous les films de Bruno Dumont, à l'exception de *Twentynine Palms*, s'achèvent sur un gros plan des personnages. Le visage est ce qui ramène à l'humanité. Il est aussi ce qui renvoie à l'altérité radicale. Le gros plan du visage contient à la fois la multiplicité de l'homme premier, « l'hétérogène à l'origine[60] » et la plénitude du premier homme.

60. Jacques Derrida, *De l'esprit*, Paris, Galilée, 1987, p. 176.

ÉPILOGUE. *HORS SATAN*

« Peut-être que c'est la fin, non pas d'un cycle, mais d'un genre de film, dont *Hors Satan* serait le paroxysme[61]. » *Hors Satan* pourrait apparaître dans un premier temps comme un film somme. Il est en fait un film flux suivant une forme épurée, « paroxysme d'un genre de film » pour le cinéaste parce qu'il est peut-être celui qui contient et fait circuler à son plus haut degré les intensités de tous les films précédents.

Ce sont bien les films de Bruno Dumont qui circulent à l'intérieur de *Hors Satan* même si la critique a relevé à juste titre un jeu de références cinématographiques explicites (Dreyer, Bresson). Le réalisateur affirme que c'est « le premier plan de *La Vie de Jésus*, où on voyait une petite cabane en tôle qui était habitée par un ermite[62] », qui lui a donné l'envie de faire un film autour du personnage de *Hors Satan*. L'on notera que le personnage principal, « le gars », est incarné par le même acteur que l'on avait vu brièvement dans *Flandres* et qui, surtout, joue le maçon et sauve Céline dans le dernier plan d'*Hadewijch*. Sa violence pulsionnelle fait écho à celle de Demester dans *Flandres* ou de David dans *Twentynine Palms*, tandis que ses mains en pinces de crabe lorsqu'il marche au début du film évoquent celles de Pharaon dans *L'humanité*. Le second personnage de *Hors Satan*, « la fille », vivant dans une ferme comme Barbe, coupe et vêtements à la garçonne, pourrait incarner la part féminine de Pharaon. Elle pose son visage sur l'épaule du « gars » et l'accueille, pleine de douceur. Elle lui livre son amour avec une déchirante simplicité et la naïveté d'une enfant. Elle ne lévite pas comme Pharaon mais, sous le regard du « gars », elle

61. Philippe Rouyer, Yann Tobin, « Mon métier, c'est de fabriquer des apparitions. Entretien avec Bruno Dumont », *Positif* (Paris), n° 608, octobre 2011, p. 33.
62. Bruno Dumont, entretien réalisé par Jean-Michel Frodon dans le dossier de presse « Un certain regard » du festival de Cannes, avril 2011.

« marche sur l'eau » en traversant un bassin sur une étroite barre de béton pour éteindre un incendie qui ravage la nature.

L'idée d'une circulation est soulignée d'emblée par le premier plan de *Hors Satan* : insert sur une main qui frappe à une porte et à laquelle une autre main tend à manger. Cette main qui se tend et prend et celle qui donne font le lien entre les deux personnages principaux, ce « gars » et cette « fille ». Ces mains aux fonctions bressonniennes établissent aussi une circulation entre l'aventure « extérieure » qu'ils vivent ensemble et leur aventure intérieure, entre le visible en surface et l'invisible qui le creuse. Elles sont celles qui lient également des morceaux d'espaces, connectant les personnages perdus au beau milieu de la côte d'Opale. Mais les mains du « gars » sont aussi celles de cet acteur, porteur de la même gestuelle en circulation d'un film à l'autre. Dans *Hadewijch*, son geste avait sauvé Céline d'une noyade volontaire et l'avait ramenée sur terre. Dans *Hors Satan*, il porte « la fille » au bord d'un marais pour qu'elle ressuscite. Les mains sont le corps, « le corps n'est plus l'obstacle qui sépare la pensée d'elle-même, ce qu'elle doit surmonter pour arriver à penser. C'est au contraire ce dans quoi elle plonge ou doit plonger pour atteindre à l'impensé, c'est-à-dire à la vie. Non pas que le corps pense, mais obstiné, têtu, il force à penser, et à penser ce qui se dérobe à la pensée, la vie[63] ».

Hors Satan

Hors Satan

63. Gilles Deleuze, *Cinéma 2. L'Image-temps*, *op. cit.*, p. 246.

La circulation d'un film à l'autre se fait donc par le corps parce que le cinéma de Bruno Dumont fait appel à la sensation. Et si *Hors Satan* est le film le plus épuré, c'est pour donner à l'œuvre sa forme la plus simple afin de ne pas entrer dans le subjectif ou dans une quelconque psychologie malgré des effets de « re-connaissance ». L'épure « supprime ce qui détournerait l'attention ailleurs[64] » car c'est par la sensation que le spectateur saisit l'essentiel. Elle est aussi ce qui dépouille, vide, purge afin d'atteindre justement l'intensité. Et si tous les symptômes du cinéma de Dumont se manifestent avec le maximum d'acuité dans *Hors Satan*, c'est parce que la circulation entre les films affecte non seulement les acteurs, les personnages mais surtout les corps.

Ces corps raniment une tension, sourde et constante dans tout le cinéma de Bruno Dumont : la turbulence continue, poussée là à son paroxysme, entre l'animalité et la grâce. *Hors Satan* nous ramène encore à cette nuit, à la scène primitive. Ce n'est plus l'histoire de Freddy, Pharaon ou Demester mais celle d'un personnage sans nom, ou plutôt avant le nom : le « gars » sans identité sociale définie, sa sauvagerie exceptée. Le « gars » est *soli-vagus*, nomade solitaire, errant à travers les marais et les étangs. Il n'a plus d'habitation, simplement un refuge, un coin muret au milieu des dunes. Le vent souffle où il veut par rafales sur cette végétation, « matière sonore » volontairement « pas du tout domestiquée[65] » par Bruno Dumont. La terre n'est plus labourée mais laissée à son état premier. L'errance donne à sentir à cet homme une proximité avec le monde qui l'entoure, un monde originaire. Il s'agenouille face à la nature, marche sur le feu.

Hors Satan

64. Robert Bresson, *Notes sur le cinématographe, op. cit.*, p. 91.
65. Entretien avec Bruno Dumont réalisé par Jean-Michel Frodon, *op. cit.*

Les paysages sont les contrechamps de son intériorité comme de son corps. Sauvage, il aspire à la *silva*. Il est «*fait pour le bois*», vivant en dehors du village. Il vit hors de cette cité chrétienne aux mœurs policées, faite de croyances et de charité : une villageoise attribue au «gars» des pouvoirs de guérisseur, elle et la «fille» lui donnent à manger. Il est primitif, farouche, barbare. Il massacre d'ailleurs le garde forestier qui lui demande de quitter les lieux, et lave ses mains pleines de sang dans une rivière où se déverse l'égout. Il «fait ce qu'il a à faire». Taiseux comme Freddy ou Demester, il ne bégaie pourtant pas : il ne manifeste aucune hésitation à tuer froidement. Il erre mais il n'est pas perdu. Son corps est une surface primitive d'où sourd la profondeur de ses pulsions. Son animalité en est la résurgence : elle le place hors la loi. Il fait justice lui-même en tuant le père incestueux de «la fille». Il est au-delà de toute mesure, en deçà. Il arrive au monde avec tout ce qu'il y a en lui de sang, de feu, de terreur. Le «gars» est un chasseur qui, indifféremment, braconne et tue. Il est cet animal expulsé de son être comme de la société.

Hors Satan est plus direct, plus âpre. Pharaon, dans *L'humanité*, était dans l'étreinte, plus doux, plus lent. Ses baisers désarmaient de compassion toute violence. Le «gars» de *Hors Satan* est dans la frontalité : tout apprivoisement, tout tâtonnement lui sont étrangers. Il arrache le mal avec brutalité. Mais de la même façon, il est au paroxysme de la grâce. Il arrive avec ce qu'il a en lui de naïveté, de virginité presque surhumaine de l'âme libérée de la conscience : il est simplement et pleinement. Il n'a pas de désir ou de besoin de satisfaction. Il refuse une relation charnelle avec la «fille». Il s'efface au profit d'un pur regard où «voir, c'est avoir à distance[66]». Sa grâce n'est pas contenue dans ses prières ou dans ses «pouvoirs» d'exorciste. Il sort une fillette d'une étrange catatonie grâce à des baisers qui sont plus de dévoration et d'aspiration que de tendresse. Il libère une randonneuse de ses pulsions par un acte sexuel qui ressemble davantage à un viol. Sa grâce est l'immersion de son être dans la présence sensible. Elle est ce qui le place au-delà de toute inquiétude, dépassant toutes les contradictions et les douleurs. Elle est cette entrée en jouissance

---

66. Maurice Merleau-Ponty, *L'Œil et l'Esprit, op. cit.*, p. 27.

consciente d'une vie spirituelle mais comme pures sensations, conduisant alors même au miracle, celui de la résurrection.

Le « gars » de *Hors Satan* est comme dans les autres films « aux commencements ». Il est tendu entre l'animalité et la grâce, qui sont les dimensions et les « champs d'être » qui l'ouvrent à l'existence, mais avec davantage de contiguïté et d'adhérence. Il est un pli dans le tissu du monde autour duquel viennent se nouer les fils de sa brutalité et de sa plénitude. La résurgence de l'animalité et le foudroiement de la grâce sont une remontée des pulsions dans sa conscience comme

dans son corps. Le paroxysme réitère l'idée à la fois de poussée et de dépassement. Cette remontée des pulsions est alors l'acceptation de ce qu'il est et où se tient le possible du devenir : celui d'un recommencement. Celui de prendre à nouveau la route après avoir ressuscité la « fille », celui d'une solitude et d'une sauvagerie consenties : la grâce et l'animalité enlacées dans un dernier plan où le halètement du chien occupe l'espace sonore tandis que l'homme tourne le dos à la fille

Hors Satan

ressuscitée, et « c'est le grand midi quand l'homme, à la moitié de sa course, entre bête et surhomme debout se tient et, comme sa plus haute espérance, fête son chemin vers le soir[67] ».

Bruno Dumont pousse jusqu'aux limites afin de remettre en question définitivement toute exégèse psychologique dans son cinéma. C'est aussi en cela que *Hors Satan* a une dimension mythique. Le mythe est la transmission des puissances de l'origine, il permet de dire le non dicible et représente les mêmes caractéristiques que la pulsion qui habite l'homme : l'archaïsme, la fascination, la fragmentation. Comme l'affirme Claude Lévi-Strauss, « un mythe se rapporte toujours à des événements passés avant la création du monde [...] ou

67. Friedrich Nietzsche, *Ainsi parlait Zarathoustra*, *op. cit.*, p. 93.

[...] pendant les premiers âges, en tout cas, il y a longtemps. Mais la valeur intrinsèque attribuée au mythe provient de ce que les événements censés se dérouler à un moment du temps forment aussi une structure permanente. Celle-ci se rapporte simultanément au passé, au présent, au futur[68] ».

Bruno Dumont cherche à dire comment nous sommes parvenus à être. Il nous rappelle à quel point l'humanité est marquée du sceau de l'origine faite d'animalité et de grâce. Il nous donne à mieux comprendre cette condition précaire et fragile, pourtant si précieuse, dans laquelle nous espérons nous tenir debout, peut-être éblouis même au rebord du noir le plus profond.

68. Claude Lévi-Strauss, *Anthropologie structurale*, Paris, Plon, 1958, p. 231.

BIBLIOGRAPHIE

Sur Bruno Dumont

Livres, articles

BEGHIN, Cyril, « Hors Satan, Grand Dehors », *Cahiers du cinéma* (Paris), n° 671, octobre 2011, pp. 28-30.

DARRAS, Matthieu, « Le cinéma est pour le corps », *Positif* (Paris), n° 511, septembre 2003, pp. 50-53.

DELORME, Stéphane, « La vie d'une biche », *Cahiers du cinéma* (Paris), n° 650, novembre 2009, pp. 39-46.

DELORME, Stéphane, « Sur la terre plus qu'au ciel », *Cahiers du cinéma* (Paris), n° 615, septembre 2006, pp. 10-12.

DUMONT, Bruno, « Travail du cinéaste », Paris, Dis Voir, 2001, pp. 11 à 22.

DUMONT, Bruno, *La Vie de Jésus*, Paris, Dis Voir, 1996.

DUMONT, Bruno, *L'humanité*, Paris, Massot, 2001.

DUMONT, Bruno, « Notes de travail sur *La Vie de Jésus* », *Positif* (Paris), n° 440, octobre 1997.

GARBARZ, Franck, « *L'humanité*. Consoler la souffrance du monde », *Positif* (Paris), n° 465, novembre 1999, pp. 37-39.

NUTTENS, Jean-Dominique, « *Hors Satan*, le vent souffle où il veut », *Positif* (Paris), n° 608, octobre 2011, pp. 26-28.

PREDAL, René, *Le Cinéma français depuis 2000, un renouvellement incessant*, Paris, Armand Colin cinéma, 2008.

TANCELIN, Philippe, ORS, Stéphane et JOUVE, Valérie (éds.), *Bruno Dumont*, Paris, Dis voir, 2001.

VANCHERI Luc, *Cinéma et peinture, Passages, partages, présences*, Paris, Armand Colin, coll. « Cinéma », 2007.

Entretiens

HENRIC, Jacques et MILLET, Catherine, « Bruno Dumont, droit dans le réel », *Art Press* (Paris), n° 326, septembre 2006, pp. 28-35.

TANCELIN, Philippe, « Enquêtes sur le réel », *Bruno Dumont*, Paris, Dis-voir, 2001, pp. 39-105.

RÉGIN, Christophe et ARDJOUM, Samir, www.fluctuat.net, 27 octobre, 1999.

HABIB, André, GRUGEAU, Gérard, GAJAN, Philippe et ABLAAD, Serge, « Complexifier la mystique par la mécanique », http://www.horschamp.qc.ca.

Rouyer, Philippe et Vassé, Claire, « L'invisible ne se filme pas », *Positif* (Paris), n° 465, novembre 1999, pp. 50-53.

Rouyer, Philippe et Tobin, Yann, « Mon métier, c'est fabriquer des apparitions », *Positif* (Paris), n° 608, octobre 2011, pp. 43-46.

Internet

Dumont, Bruno, Notes sur *L'humanité*, http://www.tadrart.com/fr/films/humanité.

Site officiel du cinéaste : http://www.brunodumont.com.

Bibliographie générale

Aristote, *Traité de la génération des animaux*, traduit du grec par Pierre Louis, Paris, Les Belles Lettres, 1961.

Aumont, Jacques, *Du visage au cinéma*, Paris, Cahiers du cinéma, coll. « Essais », 1992.

Bachelard, Gaston, *L'Air et les songes. Essai sur l'imagination du mouvement*, Paris, José Corti, 1968.

Bataille, Georges, *L'Érotisme*, Paris, Les Éditions de Minuit, 1957.

Bergson, Henri, *Les Deux Sources de la morale et de la religion* (1932), Paris, PUF, coll. « Quadrige », 2008.

Bergson, Henri, *Le Rire, essai sur la signification du comique* (1899), Paris, PUF, coll. « Quadrige », 2002.

Bernanos, Georges, *Œuvres romanesques*, Paris, *Nrf*-Gallimard, coll. « Bibliothèque de la Pléiade », 1961.

Bonnefoy, Yves, *Entretiens sur la poésie 1972-1990*, Paris, Mercure de France, 1990.

Bourdieu, Pierre, *La Domination masculine* (1998), Paris, Éditions du Seuil, coll. « Points/essais », n° 483, 2002.

Bresson, Robert, *Notes sur le cinématographe* (1975), Paris, Gallimard, coll. « Folio », n° 2705, 1988.

Crouzet, Michel, *Le Naturel, la grâce et le réel dans la poétique de Stendhal. Essai sur la genèse du romantisme 2*, Genève, Slatkine Reprints, 2009.

Deleuze, Gilles, *Cinéma 1. L'image-mouvement*, Paris, Les Éditions de Minuit, coll. « Critique », 1983.

Deleuze, Gilles, *Cinéma 2. L'image-temps*, Paris, Les Éditions de Minuit, coll. « Critique », 1985.

Derrida, Jacques, *L'animal que donc je suis*, Paris, Galilée, 2006.

Epstein, Jean, *Écrits sur le cinéma, tome 2*, Paris, Seghers, 1974.

Girard, René, *La Violence et le Sacré* (1972), Paris, Grasset, coll. « Hachette littératures-Pluriel », 2008.

Girard, René, *Mensonge romantique et vérité romanesque*, Paris, Grasset, 1961.

Lacan, Jacques, *Écrits* (1966), Paris, Éditions du Seuil, coll. « Champ freudien », 1999.

122

LACAN, Jacques, *Autres écrits*, Paris, Éditions du Seuil, coll. « Champ freudien », 2001.

LACAN, Jacques, *L'éthique de la psychanalyse, Séminaire VII*, Paris, Éditions du Seuil, coll. « Champ freudien », 1986.

LEVINAS, Emmanuel, *Totalité et infini*, La Haye, Martinus Nijhoff, 1971.

MERLEAU-PONTY, Maurice, *L'Œil et l'Esprit* (1964), Paris, Gallimard, coll. « Folio/ essais », n° 13, 1990.

MERLEAU-PONTY, Maurice, *Le Visible et l'Invisible* (1964), Paris, Gallimard, coll. « Tel », n° 36, 1993.

MERLEAU-PONTY, Maurice, *Résumés de cours. Collège de France 1952-1960*, Paris, Nrf-Gallimard, 1968.

MILLET, Thierry, *Bruit et cinéma*, Aix-en-Provence, Presses Universitaires de Provence, coll. « Hors champ », 2007.

MORIN, Edgar, *Le Cinéma ou l'homme imaginaire. Essai d'anthropologie sociologique*, Paris, Les Éditions de Minuit, 1956.

NANCY, Jean-Luc, *Au ciel et sur la terre. Petite conférence sur Dieu*, Paris, Bayard, coll. « Petites conférences », 2004.

NANCY, Jean-Luc, *L'Adoration, déconstruction du Christianisme 2*, Paris, Galilée, 2010.

NIETZSCHE, Friedrich, *Généalogie de la morale* (1887), traduit de l'allemand par Isabelle Hildenbrand et Jean Gratien, Paris, Gallimard, coll. « Folio/essais », n° 16, 1985.

NIETZSCHE, Friedrich, *Œuvres complètes tome IV, Aurore et fragments posthumes 1879-1881*, traduit de l'allemand par Maurice de Gandillac, Paris, Nrf-Gallimard, coll. « Bibliothèque de la Pléiade », 1970.

NIETZSCHE, Friedrich, *Fragments posthumes 1887-1888*, traduit de l'allemand par Henri-Alexis Baatsch et Pierre Klossowski, Paris, Gallimard, coll. « Œuvres philosophiques complètes », n° 13, 1976.

NIETZSCHE, Friedrich, *Naissance de la tragédie* (1872), traduit de l'allemand par Michel Haar, Philippe Lacoue-Labarthe et Jean-Luc Nancy, Paris, Gallimard, coll. « Folio/essais », n°32, 1977.

NIETZSCHE, Friedrich, *Ainsi parlait Zarathoustra* (1885), traduit de l'allemand par Maurice de Gandillac, Paris, Nrf-Gallimard, coll. « Œuvres philosophiques complètes », 1971.

PASOLINI, Pier Paolo, *Actes impurs suivi de Amado mio* (1983), traduit de l'italien par René de Ceccaty, Paris, Gallimard, coll. « Folio », n° 3879.

QUIGNARD, Pascal, *Les Ombres errantes, Dernier royaume I*, Paris, Grasset, 2002.

QUIGNARD, Pascal, *Petits traités I*, Paris, Gallimard, 1977.

QUIGNARD, Pascal, *Le Sexe et l'Effroi*, Paris, Gallimard, 1994.

QUIGNARD, Pascal, *La Nuit sexuelle*, Paris, Flammarion, 2007.

SAINT AUGUSTIN, *La Création du monde et du temps. Extrait des Confessions, livres XI et XII*, Paris, Gallimard, coll. « Folio Plus-Philosophie », n° 4322, 2OO7.

WEIL, Simone, *La Pesanteur et la Grâce* (1947), Paris, Plon, coll. « Agora », n° 99, 2009.

TABLE

Cet ouvrage, composé en Perpetua 11,5 points
par Ici & ailleurs, a été achevé d'imprimer le 18 avril 2012
sur les presses de l'imprimerie Darantiere
pour le compte des Éditions Rouge profond

NUMÉRO D'ÉDITEUR : 38
NUMERO D'IMPRESSION : 12-0476
DÉPÔT LÉGAL : AVRIL 2012